JN006419

しぶとく生き残る台湾

企業・教育・家庭――日本が目覚めるための逆転発想

菅原明子
Akiko Sugahara

SEIKO SHOBO

はじめに

高齢化する国家の行く末とは

世界中でまだどこの国も経験していないほどの高齢化や人口減少が進み、長い間、低成長が続いている日本。総務省の統計によると、日本の総人口は2011年以降継続して減少し、2018年現在、1億2642万人と前年比で27万人の減少になっています。

しかし、65歳以上の高齢者の人口で見てみると、こちらは反対に1950年以降、一貫して増加しており、18年現在で3557万人と前年に比べて、44万人の増加です。

その結果どうなっているのかと言いますと、総人口に占める高齢者の割合はなんと28・1%で過去最高となっており、総人口の約3割にも達しているほど超高齢化社会が進んでいる時代に突入しました。2019年には人口は44万人減少しました。

右を向いても左を向いてもそのほとんどが高齢者と言ってもあながち大げさでもない

ような事態が、すぐそこまで訪れているのです。

それでは、超高齢化社会が進行していくと国はどうなってしまうのでしょうか。

これは今、世界中が日本に注目しているポイントでもあります。

なぜなら、これほどまでに高齢化が進んだ国は、世界中どこを見てもないからです。国が何かをするとき、そして何かしらのモノやサービスが生まれるとき、ひいてはこの世界で何かが起こるとき、それらすべての担い手は「人」です。

道路を造ったり、上下水道を整えたり、電気を敷いたりなど国土を整備するのも、安全を保つために警察や消防などを運営するのも、国民の老後のための年金資金を運用するのも、役所や郵便局や学校や病院を運営管理するのも、わたしたちの暮らしが便利になるよう作られているものはすべて、人の手によって作られ、運営されています。

その担い手が現在進行形で減り続け、残っている人もどんどん高齢化しているのです。

この日本を覆う重苦しい雲

このような状況に対して、日本政府はこれまでどのような手を打ってきたのでしょうか。

以前は家庭にいることの多かった女性の社会進出を促したり、高齢になっても働ける人には働いてもらおうと定年を延長するなど、なんとかして働き手を増やす様々な施策を施してきました。ではその結果、この国はより良い国になったと言えるでしょうか。

統計上では、それらの政策を行なってきたことにより、経済成長を遂げることができたと見ることが出来る数値も出ています。しかし庶民の感覚としては、給料は上がらず、暮らしも豊かになるどころか、年々じわりじわりと真綿で首を締められるように苦しくなっているように感じている人が多いというのはいったいどういうことなのでしょうか。

みんなで豊かになるといった時代が終わり、富める者はより富み、そうでない者はさらに貧しくなっていく時代に入り、格差も次第に広がってきました。

株や不動産などの資産を持つ者はその恩恵に預かり、資産を持たない一般大衆の暮らしは今後さらに苦しくなっていくと予想されています。

厚生労働省による各種世帯の生活意識の調査では、平成29年度において、生活が苦しいと回答したのは全体の55・8％にも上り、その中でも児童のいる世帯では、58・7％とほぼ6割の家庭で、生活が苦しくなっていると回答していました。

この世帯はいわゆる働き盛りの世帯と言ってもいいでしょう。その世帯で、生活が苦しいと答えている現状は、はたして日本人がこれまで求めてきた理想の日本の姿と言えるのでしょうか。にもかかわらず、今、増税をはじめとした庶民に厳しい政策ばかりがまた行なわれようとしています。

希望を持てと言われてもなかなか持てず、将来に対してもただ不安が増すばかりで、この先どうやって生きていけばよいのか、そもそも生き残ることができるのか、老若男女、誰もが不安に苛《さいな》まれていると言っても過言ではない状況が続いています。閉塞感《へいそくかん》という灰色の重苦しい雲がすっぽりと日本全体を覆《おお》っているかのようです。

発展するアジアに見出す日本の未来

一方、海外に目を向けてみると、そんな暗い日本とは対照的に、エネルギッシュに前向きに発展しているところがあります。

それは中国をはじめとしたアジアです。これまで先進国に置いていかれていたアジアが今、その存在感を日に日に増していました。その中でもわたしが注目したのは、日本と同じように海に囲まれている台湾です。

四方を海に囲まれ、人口も資源も少なく、領土も小さい台湾が、世界の均衡が大きく崩れ始めているこの激動の時代に、その大きなうねりに巻き込まれ、中国からの要求も強くなっているなか、ただ耐えるだけではなく、きちんと自立し、さらには経済成長まで成し遂げているというから驚きです。なぜ台湾はそのような芸当を成し遂げられているのでしょうか。

混迷を極め始めたこの世界の中で、将来を見据えて成長の種を蒔《ま》き、あらゆる手法を駆使してその成長を促し、そしてその収穫を虎視《こし》眈々《たんたん》と狙っている台湾。

その姿はまるでかつての活力にあふれた日本を見ているようでもありました。

自信を失い、明日が見えなくなっている日本が再び力強く輝くためのヒントが、この台湾にこそあるのではないか。そう思い、わたしは台湾へと飛び立ったのです。

しぶとく生き残る台湾【もくじ】

はじめに

第1章　台湾のエリート学生が学ぶ最先端授業

第2章　最先端ベンチャーを率いる若き社長の想い

第3章　台湾経済を支える中小企業の底力

第4章　未来を見すえた新たな子供教育

第5章 逆転発想で目覚めよニッポン

カバーデザイン・本文DTP――ホープ・カンパニー
本文写真――――――――――――著者提供

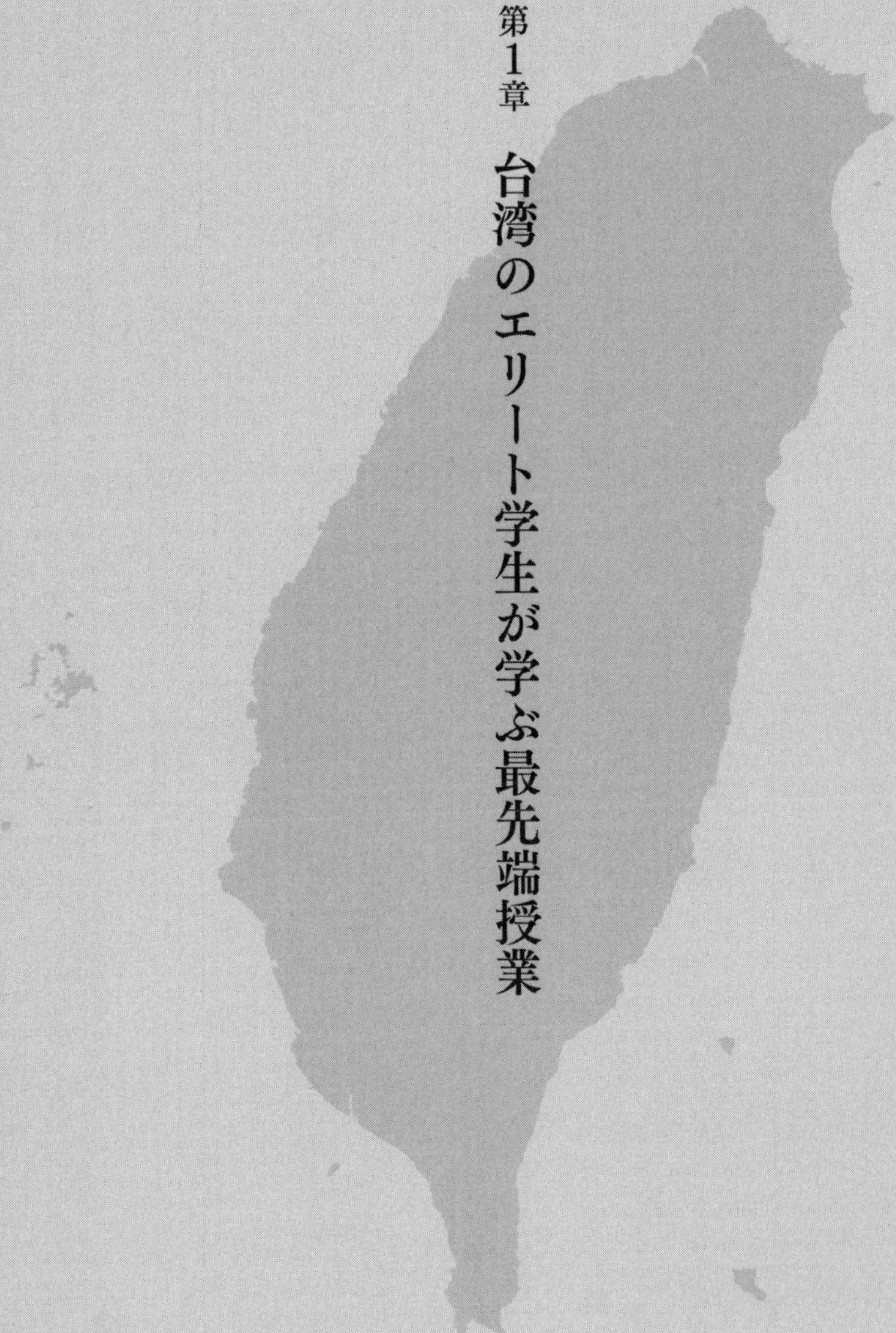

第1章　台湾のエリート学生が学ぶ最先端授業

台湾2300万人のライフスタイル

今回、わたしが訪れたのは、日本のお隣にある観光地としてもおなじみの台湾。日本から南西へ約2100キロ、飛行機で4時間ほどフライトしたところに台湾はあります。周囲を海に囲まれたその面積は九州よりやや小さいほどの広さで、そこに約2357万人（2018年3月現在）の人々が暮らしています。ちなみに九州の人口は1300万人ほどなので、九州に比べて約2倍の人口密度と考えればいい規模感です。

一年を通して温暖な気候の上に、至るところに大自然が広がり、それでいて街を散策すれば美しい街並みに出会え、美味《おい》しい食事を堪能《たんのう》し、さらには伝統文化にも気軽に触れ合えるといったことから、台湾は今や世界中の観光客が毎年大勢訪れる一大観光地となっています。

また、台湾の名目GDPを見てみると、2018年現在で約5893億米ドル（日本は4万9719億米ドル）、一人当たりの名目GDPは約2万4971米ドル（日本は3万9305米ドル）となっており、名目GDPでは日本の約1割強、一人当たりのG

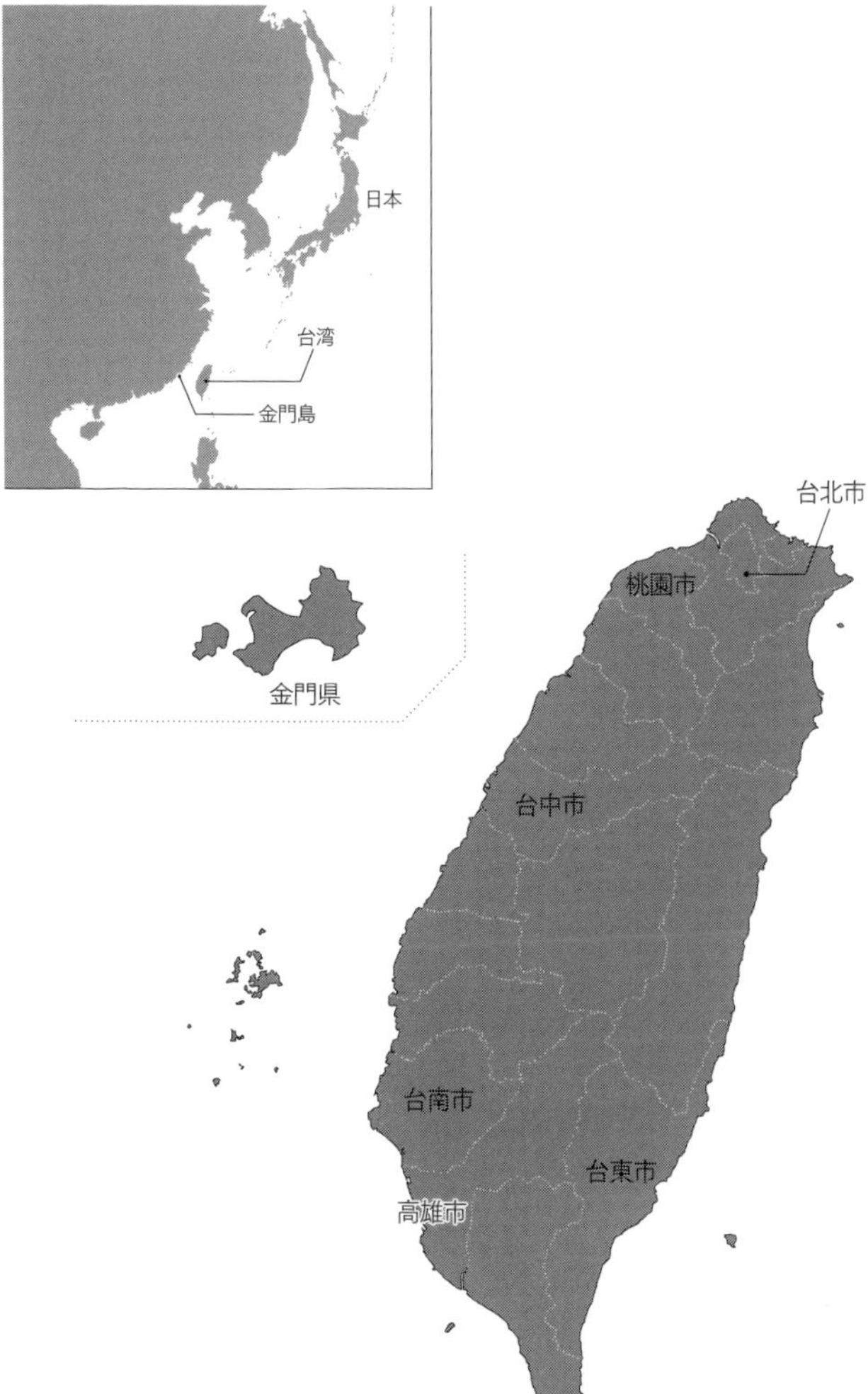
日本
台湾
金門島
金門県
台北市
桃園市
台中市
台南市
台東市
高雄市

DPでは日本の約6割強といった規模感です。また、経済成長率は2・63％と、日本の0・9％に比べてかなり高成長していることがわかります。

次に、もう少し身近な数字を見てみることにしましょう。

2018年11月に台湾政府が発表したデータによると、台湾の人々のボーナスと残業代を合わせた平均月収は4万8995台湾ドル、日本円に換算すると約18万円。年収では58万7940台湾ドル、日本円に換算すると約212万円ということです。

ただしこれには台湾に暮らす庶民から異議の声が上がっているという話もあり、色々な情報を鑑《かんが》みると、概ね平均月収は14万円、年収で170万円ほど、というのが実状に近い数字だということです。

国税庁によると日本の平均年収は約432万円ということなので、日本人の年収は台湾人の2・5倍ほどになります。

台湾は日本に比べて物価が安いからそれでも大丈夫なのだろうとの声も聞こえてきそうですが、現実はそうでもないようです。この金額で台湾の首都である台北市《タイペイ》で楽に暮らせるかというと、そこは東京と同じでなかなか難しいとのこと。日本でも東京の郊外から通う人が多いように、台湾でも家賃の高い台北市内を避け、電車で30分ほど離れた郊外から通うというのが大方のライフスタイルのようです。

三世代同居で協力しあう暮らし

家族構成の面ではどうでしょう。

日本では核家族化が進み、親子二代、もしくは高齢化により親だけの世代といった家族構成も多くなってきている状況ですが、台湾ではまだ、祖父母を含めた三世代同居が珍しくないのも特徴です。親族、親類がお互いに協力しあって暮らしている家庭が多いようです。そのため、台北市内のような一人暮らしではなかなか生活が難しい地域でも、家族みんなで稼ぎ、その稼ぎを分け合って使うことで、家賃の高い台北でも暮らしていけるというわけです。

また、台湾の日頃の食事事情はどうでしょう。

日本では自炊をしている家庭が多いかと思いますが、台湾では自炊と合わせて屋台で食べる外食文化が発達しています。そもそも屋台や惣菜の値段が安く、自炊するよりも安くあがるからです。台湾に行くとすぐにわかりますが、町の至るところに美味しそうな匂いを漂わせた屋台や小さな食堂が並び、どこも大勢の人々で賑わっています。

「世界の工場」の高い生産力の歴史

さてそんな台湾ですが、世界中から観光客が集まる観光地という顔の他に、じつはもう一つの有名な顔を持っていました。それが、

「世界の工場」

とまで言われるほどの高い生産能力を持ったものづくりマスターとしての一面です。

少し歴史を遡《さかのぼ》って見てみることにしましょう。

1945年に第二次世界大戦が終わると、それまで50年間台湾を統治していた日本が撤退し、それに入れ替わるようにして、大陸から中華民国の国民政府が入島しました。

これによって、台湾の軍人、民間人、双方の人口は一時期激増します。

このときの経済状況はどうだったかと言いますと、国民政府の財政破綻や資本不足などの問題もあったことから、なかなか戦前の水準に戻るまでには回復していませんでし

た。

当時の台湾には、日本が統治していた時代に台湾の工業化に向けて作られた産業基盤が数多くありましたが、それらの技術を最大限に活用しようという気持ちがなく、管理をしていた日本人が去ってしまったために、それらの産業基盤を当時の国民政府がうまく継承できなかった一面もあると言われています。十分に活用できる設備自体を接収できても、それを使いこなせる人材やソフトを持った元日本人の部下の台湾人を活用しようという発想もなかったことが原因でした。

そこで当時の新政府は、まず土地制度の改革を行ない、農業生産の向上を図りました。やがて農産物の生産量が増加していくと今度は、改善して得られたその農業所得を工業発展への投資に使っていくような施策を行なっていきます。

まずは労働集約型工業の育成によって輸出を増やしていき、その上で、保護関税政策によって自国の産業を守り、免税方式を用いて外資を導入するなど、自国の経済発展のための施策を次々に打ち出していきました。

一方、民間では、全企業の98％を超える中小企業が商業から工業へと進化・発展していき、台湾の経済成長を支えていきました。いわゆる個人商店から企業へと変貌《へんぼう》していくようなイメージです。鴻海《ホンハイ》精密工業の創業者・郭台銘《かくたいめい》氏も、貧しい山西省からやって来た両親の元に生まれた人でした。彼は専門学校卒業後の1年間サラリーマンをやり、自分で親戚から資金を集めてプラスチック成型の軽工業からスタートした、中小企業の経営者でした。次の時代と次の場所をしっかりと見極める能力、そして社員を引っ張るカリスマパワーこそが、今日の大企業へと育つ原動力でした。

これらの中小企業は、かつて日本が台湾を統治していた1930年代に、台湾の工業化を促す、という統治者の意向で多く生まれたものですが、その後の台湾の経済成長を力強く支える屋台骨となっていった存在です。

そして1960年代に入ると、台湾はいよいよ日米の加工基地となるまでに発展します。

この頃には台湾はすでに農業社会から工業社会へと変わり、その後、プラスチック製造などの軽工業、続いて石油化学工業などの重工業へとさらに進化し、順調に輸出主導型の経済成長を遂げていきました。

しかし、1974年に起こったオイルショックの荒波が台湾を襲います。

次ページのグラフでもはっきりとわかるように、GDP成長率が急激に下がりました。

苦境に陥った台湾はここで、「10年経済建設計画」を策定します。

　これからの新たな時代を生き抜くために、エネルギー効率が高く、付加価値も高いハイテク産業の育成を推進することにし、機械、電子、電機、輸送機械といったグローバル化に対応する分野を重点的に発展させようとする、新たな方向へと大きく舵を切ったのです。

　貧しい人々は互いに情報を交換し、金銭の応援もしつつ、中小企業から次なる世代により良い社会的地位を与えようというバイタリティがみなぎっていて、飛躍を支えたのです。もちろんその間、多くの中小企業は消えていく運命にありましたが……。

　その結果、台湾は、見事に変貌しました。

◉台湾のGDP成長率

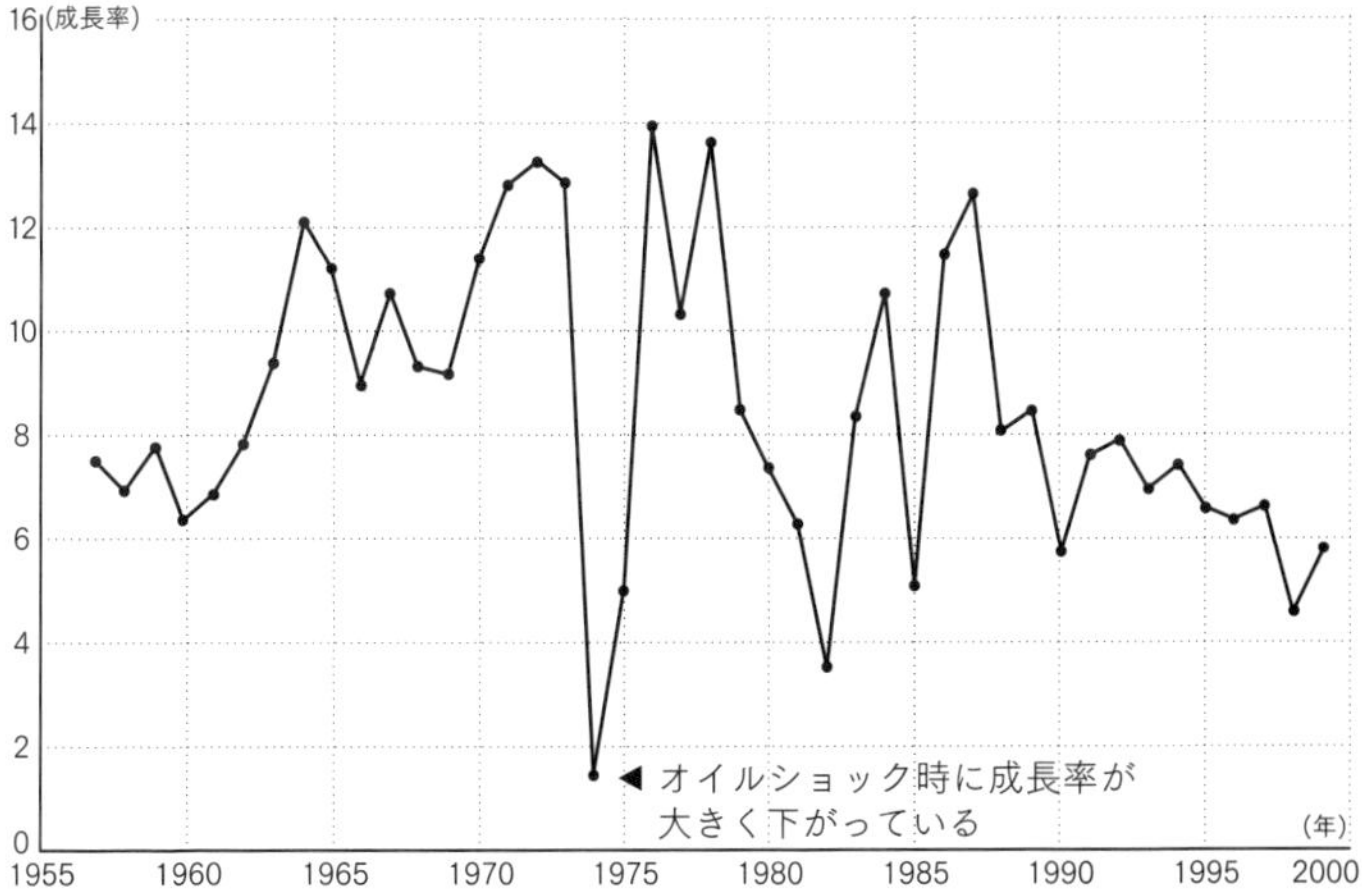

（国民所得統計摘要より作成）

今や、半導体や情報通信技術、パソコン、液晶などの付加価値の高い工業製品の重要生産国として、アジアの中でも有数の経済大国としての地位にまで登りつめたのです。

なかでも、パソコンやスマートフォン、液晶テレビなどのデジタル家電、冷蔵庫に洗濯機などの白物家電、さらにはこれから本格導入されるIoT（インターネット・オブ・シングス＝モノのインターネット化）に関連する電化製品など、あらゆるモノの中に使われていると言っても過言ではない電子部品である「半導体」の「世界の工場」として、世界的に有名な製造拠点となるまでに大きく成長しました。

半導体製造の分野で「世界の巨人」とまで言われるほど有名な世界最大の企業TSMCや、巨額の債務を抱え苦しんでいた日本の製造業の雄の一つであるシャープを買収した鴻海精密工業、VR（ヴァーチャル・リアリティ）で頭角を現したHTCやパソコンメーカーとして著名なASUSなども、こうした長い歴史の中で台湾に生まれ、中小企業から出発し、力強く成長してきた世界的に有名な企業です。

このように、戦後の農業生産から現在の工業生産へと進化を遂げてきた台湾経済は、一次的には世界経済の低迷に影響を受けたにしても、長い歴史で見れば、比較的安定した経済成長を遂げてきたのです。

従来産業からイノベーション産業への転換

こうして台湾は長らく、完成品を作る上で必要不可欠な主要部品の製造、輸出や他社ブランドの製品を製造する「OEM」などを柱とした経済成長モデルによって成長してきましたが、近年になると、その成長モデルに陰りが見え始めてきました。

工業化の第1次産業革命、大量生産の第2次産業革命、自動化の第3次産業革命、といった具合に、これまで三つの産業革命が行なわれてきましたが、いよいよ第4次産業革命と呼ばれる「インダストリー4・0」の時代に突入しました。

それに伴い、これまで台湾に頼っていた欧米諸国は新たなイノベーション産業を自国で創出し始め、また主な市場であった中国では、地元中国企業の急激な成長により競争が激化するなど、これまで台湾の強みであったOEMを中心とした産業発展モデルのままでは、これからの飛躍的な成長が難しくなる局面にぶつかってしまったのです。

・インダストリー4・0……ドイツ政府が主導し進めている国家プロジェクト。工場内のあらゆる機械設備や管理システムをインターネットに接続し、それによって効率的に少量多品種・高付加価値の製品を大規模生産できるスマートファクトリーを生み出す仕組み。ＩｏＴやビッグデータ、ＡＩや、産業用ロボットなどを最大限に活用したネットワークでつながる工場をスマートファクトリーと定義するようになってきたのです。

そこで台湾は、これまで依存してきた、

・輸出依存
・電子部品産業への依存
・中国大陸への依存

この三つの依存を解消するために、ふたたび大きな方向転換を行なう決意をしました。

そこで打ち出したのが「５＋２産業発展計画」（次ページの表参照）です。

これは、従来型の産業発展モデルから脱し、新たな価値を創造するイノベーション主導型の経済成長モデルを作り、台湾内産業の優位性とニッチ性を最大限に発揮するため、地域の連携を強め、現在と未来をスムーズに連携し、さらにグローバルでの連携も強めるといった、三つの連携を原則にした計画です。

◉台湾の「5＋2産業発展計画」の概要

産業	ビジョン	概要
IoT	アジアのシリコンバレー	1：スマート技術、IoTのサプライチェーンや事業者間交流を強化 2：スマート物流、交通、介護などのインフラ整備を実証実験の機会として活用 3：台湾をアジアの人材開発交流センター及び青年IPOセンター化 4：ワーキングチームを設立し、誘致や法整備を推進
スマート機械	スマートシティ	1：機械産業とIoTを連携し、スマート生産、ロボット応用を推進 2：ファームウェアとコントローラーの設計能力を強化 3：台中を産官学連携基地として、スマート機器の研究開発を推進
グリーンエネルギー	再生エネルギー・技術革新	1：海外からの技術の導入を進め､再生エネルギー比の拡大により産業高度化を推進 2：部品OEMとSter（システム全体を統合する事業者）を重視 3：「節約」「創造」「蓄積」「システム統合」を推進
バイオ・医療	アジアパシフィックのバイオ医療センター	1：コア施設の統合、革新的な研究開発の支援、健康情報のデータベース整備、臨床試験の効能向上を推進 2：国際的な研究開発提携、臨床試験計画、人材交流、相互投資などの体制を整備 3：台湾各地の産業クラスターを連携
国防	国防産業クラスター	1：国防設備の調達・高度化・更新時に海外技術の移転を進め、造船、航空宇宙、情報、材料、電気などの産業を強化 2：航空宇宙、造船、情報セキュリティ産業の推進に重点 3：軍民の共同開発、技術成果の相互利用を推進
新農業	新農業革新推進計画	1：科学技術の革新、農業付加価値の向上、農家の福祉と収益を確保 2：資源リサイクルと生態環境の持続可能性を考慮し、強固な基礎と革新力を備えた新農業を確立
循環経済	資源の有効利用	1：革新的エコマテリアルの開発推進 2：循環パークの開発 3：エネルギーと資源の循環推進

（公益財団法人「日本台湾交流協会」平成29年度委託調査より）

この中で政府は、今後も人々の暮らしの中で確実に使われていく技術であるとされ、世界的にも研究開発が進んでいるＩｏＴの分野で、

「アジアのシリコンバレーとなる」

という目標を掲げました。

シリコンバレーといえば、アメリカのカリフォルニア州サンフランシスコ沿岸周辺の地域のことを指し、その地域からは、これまでに数多くのベンチャー企業が世界へ大きく羽ばたいていきました。現在でも、Ａｐｐｌｅ《アップル》やＦａｃｅｂｏｏｋ《フェイスブック》、Ｇｏｏｇｌｅ《グーグル》といった超有名な企業が数多く集まっている地域です。

このシリコンバレーのアジア版になろうと、台湾は決めたのです。

現在では政府のプランは世界的リーダーとなった郭台銘氏のようなすごいＣＥＯが政府の方向を決めるキーマンなので、その「５＋２計画」にも血が通っています。

これはどういったことを意味するのか。

シリコンバレーは、単なる地域を指す名称ではありません。

ここは優秀な学生たちが起業し、社会にインパクトのある製品やサービスを発表していき、さらに彼らに影響を受けた起業家たちも次々にこの地域に集まり、そこに新しい

コミュニティが生まれてきた地域です。そこでは、常に仲間やライバル、投資家が交流し合いお互いが切磋琢磨《せっさたくま》しながら、自分たちの製品やサービスを改良し、それをまた皆で気軽に使い合い、さらに改良して……といった具合に、起業に関して良い循環がそこに出来上がる文化があるのです。

つまり、起業に関するありとあらゆること――「起業するための仲間づくりやカルチャー、精神風土など」が集約されているのがシリコンバレーなのです。

ただの場所ではなく、そういった形のないものまでをすべて含んでいることがシリコンバレーをシリコンバレーたらしめている重要な要素なのです。

台湾がこれをどう作り上げていくのか。

わたしはここにとても興味を持ちました。

これは台湾の未来を占う上でもとても重要なポイントです。

その中でも特にわたしが注目したのは、この計画を担う優秀な人材をどのように育成していくのかという点です。

すると、台湾随一のエリート大学である台湾大学で、シリコンバレー発の新たなイノベーション思考法である「デザイン・シンキング」を取り入れた新たなコースが設立されたという情報を耳にしたので、さっそくお話を伺いにお邪魔することにしました。

〔人材育成のヒントを求めて名門・台湾大学へ〕

台湾大学は日本統治時代の1928年に台北帝国大学として創立された、台湾一の名門大学です。この台湾大学も、かつての日本が1928（昭和3）年、日本統治時代に設立した台北帝国大学が発展したものです。

日本で言えば東京大学のようなもので、台湾一入学するのが難しいと言われ、台湾全土から優秀なエリート学生が集まっています。卒業生には、総統に選ばれた李登輝《りとうき》氏や蔡英文《さいえいぶん》氏、ノーベル化学賞を受賞した李遠哲《りえんてつ》氏やチューリング賞の姚期智（アンドリュー・チーチー・ヤオ）氏など、著名人を多数輩出していることでも有名です。

広大なキャンパスはどこも緑に溢れ、壮大な自然公園のように美しい光景が広がっています。その中に数多くの運動場や学術研究のための実験農場やハーブ園、さらには動物たちが集まる酔月湖や病院まであるから驚きです。学びの場としてはもちろんのこと、観光スポットや市民の憩いの場としても重宝されているのです。

◀椰子の木が両脇に並ぶメインストリート。毎朝多くの学生たちがこの道を自転車で走っていきます

台湾大学から歩いて数分のところにある台大創新設計学院が入っているビル。台湾大学の重厚な歴史的な建物に比べると、とてもモダンです▶

〈大学内に創設されたまったく新たな学習の場〉

そんな台湾大学の中に、2015年、これからの時代を担う新たな人材の育成を目的にして、バーチャルカレッジが創設されました。それが、「台大創新設計学院（D—School@NTU）」です。

こちらの学校は、創造性とイノベーションを促す教育を包括的に行なうために生まれた学校で、様々な学部の先生やあらゆる分野からの外部の識者を講師として招き入れ、社会課題を解決するための思考法である「デザイン・シンキング」を実践的な授業を通して学ぶ場です。

世界に衝撃を与える様々なIT企業が起業されたシリコンバレーから生まれた最先端の思考法であるデザイン・シンキング。これを台湾でも学べるということもあって、すでに大人気になっており、なんと2000名の志願者の中から、たった100名しか入れないというほどの超難関コースとなっていました。

今回は、その実践的な授業を見学でき、さらには、先生にもお話を伺えるということでお邪魔してきました。

まずお話を伺ったのは、台湾大学の物理学系教授である朱士維《しゅしい》教授。とても紳士的な素敵な方で、心の中に教育への熱心なお気持ちを内包しながら、常に冷静に話す姿が印象的な先生でした。先生が責任者として受け持っている授業を見学させて頂きながら、授業の内容やデザイン・シンキングについて伺いました。

＊　＊　＊

――これはどういったことを学ぶ授業なのですか？

写真の右端にいるのが朱士維教授

朱士維　これはデザイン・シンキングを学ぶ授業の一つです。

●デザイン・シンキング……スタンフォード大学で編み出された起業家を育成するための新たな考え方。社会にある様々な課題を発見し、その課題に対する最善の解決策を最速で実践的に見つけるための思考法。

朱士維　学生それぞれが自分の人生をデザインするという内容です。自分が何をしたいのか、どう生きたいのかを考え、その目標に向かって進んでいく人生の道のりを自らの手で作り、それを描いて仲間に発表し、フィードバックをもらって話し合うという授業です。

――自分の人生を見つめるのですね。わたしはグループで話すことがとても大事なことだと思います。人はあくまで主観的なものなので、自分一人だけで考えていると、それが間違った考え方だったとしてもなかなか気づけないものですよね。

朱士維　まさに菅原先生のおっしゃる通りです。

――そういうときに一緒に学ぶ仲間がきちんと間違いを指摘してくれるというのは、何かを学ぶ上でとても重要なことだと思います。ところで、この授業でもっとも力を入れていることはどういったことですか？

朱士維　それは「人生であなたが一番やりたいことや一番欲しいものは何か？」ということを真剣に考えさせることです。そこにもっとも力を入れています。それを踏まえた上で学生に満足してもらえる授業を目指しています。

――なるほど。もしそうだとしたら、もっと楽しんで授業を行なったら、さらに学生の皆さんの心に響きそうですが、いかがですか？

朱士維　そうですね。楽しんで学べればそれに越したことはないと思います。

――わたしはこういった授業もそうですが、基本的には何でも、楽しむことがとても大事なことだと思っています。小さな子供はいつでも好奇心を持って世界を楽しんで見ていますよね。あれと同じです。

いつでも何にでも好奇心を持って、常に心を開いて楽しむ。それが学ぶときには特に大切なのではないか。わたしはそう考えておりますが、先生はいかがですか？

朱士維　私もまったく同じ意見です。そのためにどうすればよいかを常に考えています。

――わたしが考えるには、たとえば、小さな子供たちがするように、学生のみんなで一緒にダンスをしたり、あるいは、歌なんかも歌ったほうがいいかもしれません。

授業の最初にまずみんなで心を解放する。それを行なえば、学生の皆さんは一気にとてもクリエイティブになると思いますが、いかがですか？

朱士維　じつは以前、そのようなことを試したことがあるのです。ただし、残念ながら毎回は行なっていないのですが。

――それは素晴らしい。ただわたしは、それは授業の前に毎回行なった方がいいのではないかと思うのです。授業に入る前に、まずは先生と一緒にギターを弾いたり、歌を歌ったり、ダンスをしたり、まるで元気な幼稚園児のように体を動かすことで、脳がどんどん活性化していくと思うのです。

朱士維　確かにそうですね。

＊　＊　＊

わたしの意見を穏やかな笑みを浮かべながらしっかりと聞いていた朱先生は、そこで何かを考えるような顔つきになりました。

〈提案をすぐに受け入れる柔軟な授業〉

わたしは学生たちの方へ目を転じました。

この教室で賑やかに仲間たちと話し合いながら、自分たちの人生についてあれこれ考えている学生は、競争率20倍の試験を勝ち抜いてきたとても優秀なエリートたちです。まさに未来の台湾を背負って立つと言っても過言ではない、もしくはそうなることを期待されているみなさんです。

そんな台湾でも指折りの超エリートである学生たちの生き生きとした表情を見ながら、わたしは彼らの将来をぼんやりと想像していました。彼らが大人になったとき、彼らはいったいどのようなリーダーとなって台湾を引っ張っていくことになるのでしょうか。

授業も終わりに近づいた頃、朱先生が突然、学生たちにある提案をしました。

すると学生たちはざわめきながらもなにやら楽しそうな顔をしたのです。

「いったい何が行なわれるのか……?」

しばらく見守っていると、先生が何かの合図を学生たちに出しました。

するとどうしたことでしょう。

なんと、先生の手の動きに合わせて、学生たちが歌を歌い始めたのです。

「あら!」

これにはわたしもびっくりしてしまいました。

授業を見学し、学生たちと意見交換する著者

ついさっき、朱先生に軽くお話しした「右脳を活性化させるためにも全員で歌ったりしたらどうですか」というわたしの提案を、先生はすぐに受け入れて実践してくださったのです。

さっきの話の途中で何かを考えていたように見えたのは、このことだったのです。こういう身軽さ柔軟さはなかなか日本の教員では持ち合わせていないと思います。

朱先生は、最初は歌だけ歌うことをみんなに指示します。すると学生たちはまず大きな声を出して歌ってくれました。

次に、先生は机をリズミカルに叩く仕草をしながらまた合図を送りました。それを見た学生たちは、今度は机や筆箱などで音を鳴らしながらまた大きな声で歌います。最後は、全員立ち上がって床を踏み鳴らしながらの大合唱です。みんなの顔が一気に明るくなりました。

そもそも、感覚を司《つかさど》る右脳が最も生き生きと使われているのは子供時代だと言われています。右脳がしっかり使われているからこそ子供たちはあんなにも周囲をよく観察し、好奇心を持ってあらゆる物ごとを見ることができるのです。左脳を使っているだけではあのようにはできません。右脳を使うことが大事なのです。

だからこそ、子供たちと同じように歌を歌い、ダンスをすることで左脳と右脳を活性化させる。そうすることで論理も感性も互いにシンクロしながら磨いていくことができる。それこそが、大人にとっての最大のメリットであるわけです。

すべては真のリーダーを養成するために

授業の最後に、このことについて学生のみなさんにお伝えできる場をいただきました。台湾の未来はみなさんの手にかかっている。左脳と右脳をフル回転させ、常にたゆまず努力をして、社会の課題をどんどん解決していける本物のリーダーとなってほしい。そんな願いを込めて、お話をさせていただきました。

授業見学を終えたわたしは、これから世界を目指すリーダーはこういう授業を受けなければならないのではないかと思いました。

ですが、こういうことを教えられる先生がなかなかいないとも思うのです。

先述のように、良いと思った外部からの提案をすぐに授業で実行してしまえる柔軟な対応こそ、まさにこれからの時代にふさわしい教育だと思います。

その柔軟性を身につけるには、豊かな感性が必要になります。

それこそ音楽を楽しんだり、山登りで自然と戯《たわむ》れたり、運動をして身体を鍛えたり、それでいて最先端の科学や何かしらの研究領域に没頭したりといったことを合わせてできるようでなければ、豊かな感性を磨くことはできません。そして、感性を磨けなければ、左脳ばかりの頭でっかちな堅い頭の人間になってしまうのです。

このこと一つとってみても、優秀な指導者を育成することはとても大変だということがよくわかるかと思います。

ですが、やはりエリートにこそ、このような授業が必要なのです。

エリートと言われるような人たちは概して、子供の頃から周りに「すごいすごい」とチヤホヤされてきていることが多いため、人前で何かを発表したりするときに、他の人と比べて自分がうまくできなかったりすると、それだけですぐに劣等感を感じてしまうような人が大勢います。自分はちゃんとやってきたのにそれを周りが認めてくれないということにストレスを感じてしまうのです。

社会に出れば、そんな状況はたくさんあります。むしろそんなことだらけだと言ってもいいでしょう。社会に出ればエリートだろうがなんだろうが、「自分が自分が」だけではうまくいきません。常に相手があってのことになるからです。だからこそエリートたちが集まる台湾大学で、こういった授業を行なっていることにはとても意義があると思いました。

エリートで心も強ければそれに越したことはありません。楽しい心で学ぶことで、左脳と右脳を共振できるようになります。このことをいち早く学びに取り入れ、実践する人が、これからの世界のリーダーとなっていくのではないでしょうか。日常生活の中の小さな出来事でも「おや？」と疑問やヒントを見つけられる五感や第六感、人の表情を読み取る力、本能の鋭さが求められる時代です。失敗したことのないエリート、暗記型の詰め込み勉強の人は、たとえ成績が上位でも生き残りは難しい時代になってきました。柔軟な頭脳がますます重要視されそうです。

（イノベーションの若き実践者）

続いて、この台大創新設計学院のチーフ・イノベーション・オフィサーである劉建成さんに、この学校のコンセプトや今後の展開について、さらに詳しくお話を伺いました。

授業を行なっていた教室から廊下を少し歩いたところに、ちょっとした休憩ができるラウンジのような場所があり、その外にとても見晴らしが良く、広いバルコニーがありました。穏やかな天候だったこともあり、雰囲気を変えましょうということで、今度はバルコニーに出ての対談となりました。

こうして高いところから見てみると、台湾大学がいかに緑であふれているかがよく見て取れます。自然に触れ合いながら最先端を学ぶことができる場。ある意味ではとても贅沢《ぜいたく》な場所です。

そんな素敵な景色をしばらく眺めていると、そこへ颯爽《さっそう》と現れたのが、がっしりとした体つきに黒いTシャツ姿がよく似合う爽《さわ》やかな若き青年でした。あまりの若さに驚きました。弱冠30歳の若さです。

なんと彼がこの台大創新設計学院のイノベーションに関する責任者・劉さんだったのです。わたしはてっきりもっと上の年齢の方がいらっしゃると思っていたので、まだ若い彼の溌剌《はつらつ》とした姿を見て、とても驚いてしまいました。

さすが新しいことに挑戦している台大創新設計学院だけあります。

若い感性を取り入れるべく、彼のような若い方をイノベーションの責任者に任せる度量の深さが見事です。

＊　＊　＊

――劉さんはとても若いうちから、このような責任あるポジションに就いていらっしゃいますが、素晴らしいですね。

劉建成　いえいえ、わたしはまだまだ未熟ですが、学生時代にデザイン・シンキングを学んでおりましたので、自分の力をここで発揮できればと思い、現在のような立場でやらせていただいております。

――こちらの学校はどのような経緯やコンセプトで作られたのですか？

身振り手振りを交えて熱く語る劉建成さん

劉建成　陳良基執行長がスタンフォード大学に行った際、デザイン・シンキングについて知り、台湾にもそのような新たな学びの場を作りたいということで立ち上がりました。

——なるほど。わたしが今回の授業を見学させていただいて感じたのは、いろいろな授業があると思うのですが、そのすべての最終ゴールは、将来を担う新しいリーダーを育成するということだと思いますが、いかがですか？

劉建成　ええ、イノベーションを主導できる人材の育成を念頭にプログラムを開発しています。

——そうなると、教室で行なう授業も大切ですが、もっともっとやることがたくさんあるのではないかと思いました。たとえば、災害現場などの実際の現場にみんなで行くこともとても大切なことだと思います。

現場には色々な立場の人がいるので、そこにはまた、色々な物の見方があると思うのです。被災者の方たちと抱き合ったり、悲しみ合ったり、笑い合ったりすることでその様々な視点を学んでいくこともとても大切なことではないかと思います。そこで一ヵ月間も過ごせば、それはある種の授業にもなると思うのです。

劉建成　それはとても大切な視点だとわたしも思いますし、実際にわたしたちもその種の体験をしました。教授と講師と生徒たちで地震災害に遭われた四川省に行き、被災された方々がより良い暮らしをできるよう支援させてもらいました。

――素晴らしい活動をされているのですね。

劉建成　台湾でもその他にも色々な活動をしています。学生たちをグループに分けて、台湾にあるそれぞれのコミュニティに送り込んだりもしています。台湾にはお年寄りのコミュニティがたくさんあるのですが、お年寄りの皆さんは普段やることが何もない問題に直面しています。彼らは人生の次のステップについて、どうすればいいか、焦《あせ》りと不安を抱えて暮らしています。

その現実を学生たちにはわかってほしかったのです。学校にはデザインすることができる場所があります。それを存分に活用して、その問題を解決してもらいたいのです。学校にあるスペースを彼らのためにリデザインして、新しい価値を提供して欲しかったのです。

その思いが通じて、先日、学生たちはお年寄りの皆さんがこの学校で一緒に参加できるコースを作りました。彼らが家から外に出て、この学校まで来て、ここで他の方たちと話をするなど、日常とは違う動きをできるようなきっかけを作ったのです。

――素晴らしいと思います。学生のみなさんが外部との交流を通じて、そこにある社会課題の解決にチャレンジしていくことこそがとても大切なことだとわたしも思います。社会にはたくさんの課題があるかと思いますが、エリートの人たちが集まっているような官僚機構ではなかなかすぐに解決へ向けた動きになりません。そのような方たちはエリートであるがゆえに、現実の状況についてあまり知らないということもあるかもしれません。

劉建成　その点で言いますと、わたしたちは「D《ディー》 team《チーム》」と呼んでいるプログラムを行なっています。これは、かつてそれぞれの省庁のトップであった人たちがわたしたちD《ディー》―S《ス》c《ク》h《ー》o《ル》olと組んで一つの課題に取り組むというプログラムです。

例えば、無駄に廃棄されてしまうような食品を、食べ物に困っている人に促せるような仕組みづくりです。この仕組みをいかにして組み立て、それを管理していくかを皆で考えていきます。

――そのようなチャレンジはとても良いと思いますが、日本では大体の場合、それはうちの省庁の仕事ではないとか、それは担当が違うからできないとか、なかなか省庁を横断しての作業とは難しいことが多いのですが、いかがですか。

劉建成　本当にその通りです。ですが、わたしたちが行なっているプログラムに関してはそういったことがないようにデザインしています。なぜなら、あらゆることをこのD―Schoolで行なえばよいからです。この学院を研究所として使っていただければ、それぞれの省庁が責任を負う必要がなくなります。すべての責任はD―Schoolが負えばいいのです。ですので、わたしたちは彼らにうちを使って新しいことにチャレンジしてくださいと、いつも問いかけています。

わたしが一番大切に思っていることは、ミスをすることを恐れないこと、そして、チャレンジすることを恐れないことです。台湾では、官僚たちは自分たちが自信を持っていないことが多いのです。彼らは台湾の若者たちの教育やイノベーションを起こすことに責任がある立場ですが、なかなか若者と実際に触れることがなかったのです。

そこでわたしたちと協力し合い、初めて若者たちと官僚たちが一堂に会する会を開催しました。すると、官僚の方たちは興奮した様子で「これが若い人たちときちんと話をできた初めての機会だよ。ようやく若い人たちが何を求めているのかがわかったよ。これで色々変えていけるよ」と言ったのです。

しかも、他の官僚の方も「これまで6年ほど仕事をしてきたけど、初めて隣で仕事をしている人の仕事内容がわかったよ」などと言ってくれ、それぞれの立場の人たちがお互いを理解し合える良い経験になったことだと思っています。

——現場を通じた学びはとても重要ですね。問題解決すべき課題を抱えながら、それを総合的で魅力あふれる解決法を、現場で学んでいくという姿勢は素晴らしいと思います。

劉建成　わたしたちD－Ｓｃｈｏｏｌでも、学生たちには外部に出て話を聞きに行くこと、人とは違うことを行なうこと、これが大切だと伝えています。先ほど申し上げたように、ミスを犯すことを恐れず、新しいことに挑戦することを恐れないでほしいと考えています。

――その点では、世界はさらに先を進んでいると思います。わたしはこれまでに、アメリカのハーバード大学やスタンフォード大学といった有名大学の授業をたくさん見てきましたが、最近の彼らは、じつは今、アジアに目を向けているのです。

劉建成　アジアですか。

――そうです。ハーバード大学では東日本大震災後8年間ずっと、30名単位で1ヵ月以上被災地に滞在しながら問題解決方法を模索し、実際に現地の人々に喜ばれています。インターネット環境の構築やマーケティング、会社業務など、学生たちが自分の専門分野のスキルを発揮して提案しているのです。

また、仕出し弁当を製造販売している「玉子屋」という中小企業（売上70億円）が東京の大田区にあるのですが、この会社に、毎年スタンフォード大学などから数十名もの学生たちが現場を見学しに来ているのです。

劉建成　それは興味深いですね。

――なぜ、シリコンバレーの学生たちが極東の小さな会社に今、わざわざ見学に来るのかと言いますと、玉子屋が作り上げたオリジナルの経営スタイルが、世界から見ても突出しているほどに素晴らしいからなのです。

劉建成　どんなところがそれほどすごいのですか？

――お弁当は通常、その日の売れ具合を予測して作りますよね。それを実際に販売してみて、一日の終わりに、売れ残りがどれくらいあったのかを毎日検証します。一般的な会社では、売れ残りが100個や200個出てしまっても不思議ではないのですが、この玉子屋は通常5個ほどしか売れ残りが出ません。廃棄率はわずか0・1%です。

劉建成　たったの5個ですか？

——ええ。これは大変驚くべき結果で、シリコンバレーの先生や学生たちもとても驚きます。非常に無駄のない効率的なシステムを極東の小さな会社が作り上げていたわけですから。さらに驚くべきことに、その素晴らしく合理的なシステムを作り上げたのが、優秀と言われる学校で学んだいわゆるエリートではなく、その小さな家族経営の会社で働く社長と家族と社員というポイントです。

劉建成　そうなのですか。

——その家族が毎日の仕事を省《かえり》みながら、どうしたらもっと効率よく無駄にせずにお弁当を作れるのか、そして配達できるのか。これを必死になって考え、その課題を全社員にも共有し、社員からの意見もどんどん取り入れて改良していったのです。つまり会社側のオープンマインドと社員全員の工夫による成果だったわけです。

ここから学べることは、世界の課題を解決する素晴らしい方法というのは、優秀な人たちが教室の中で考え出すのではなく、現場にあるということです。

現場での日々の工夫を繰り返し、少しずつ発展させてゆくことで新たな解決策が生まれる。これこそ、まさにイノベーションそのものではないでしょうか。

今、何かと恐れられているＡＩ（人工知能）のようなものが、すでに自分たちの会社にはあるのだということです。

わざわざ何かに頼るのではなく、今いる社員の能力を最大限に引き出せれば、つまりトップが下の意見を最大限吸い上げる能力があることが大切なのです。素晴らしいシステムを作り上げることができるという、まさに良い例だと思うのです。

劉建成　おっしゃるように、まさにイノベーションそのものですね。Ｄ―Ｓｃｈｏｏｌの学生たちにも、何かに頼るのではなく、自分を信じて、自分の中に潜んでいる力を最大限に発揮して様々な課題に立ち向かっていってほしいと思っています。

＊＊＊

対談を終えたわたしは校舎を出て、すでに暗くなった夜道を歩きながら考えました。

現在、世界はとても経済が厳しくなり、これから先、未来の見通しも見えにくくなっています。つまり、彼らのような、これからのエリート大学の卒業生たちは、かつてないほど大変な時代を生き抜いていかなければならないということが明らかになってきたということです。

そんな中、今彼らが学んでいる「デザイン・シンキング」で、どれだけの答えを導き出すことができるのか。

それはまだわかりません。

ただその解決策の一つとして、もっともっと外に出て、現場から実践的に学び失敗し、失敗から成功のヒントを見つけること、考え抜いて新しい何かを生み出すような教育をこれからもっと増やしていく必要がありそうな気がしました。

第2章　最先端ベンチャーを率いる若き社長の想い

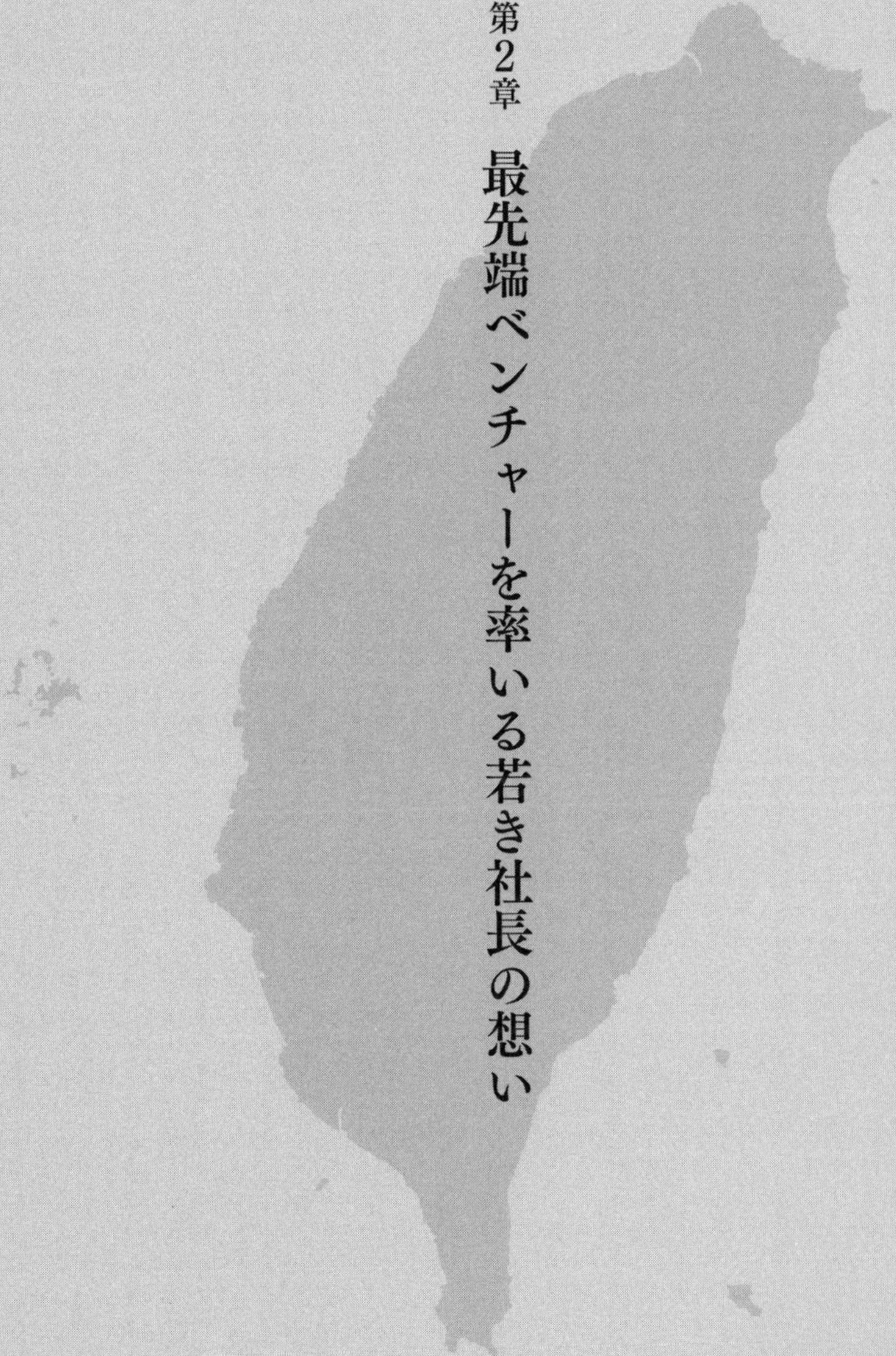

（イノベーション産業を生み出す台湾）

これまでの産業モデルからの変換を図り、「5＋2産業発展計画」を掲げてイノベーション型産業を育成しようとしている台湾。

すでに台湾大学では、イノベーション型思考であるデザイン・シンキングを学ぶことができる新たな教育が行なわれていましたが、計画開始から4年あまりが過ぎた現在、その効果は果たしてどれほど浸透しているのでしょうか。

その成果を示す、ある国際機関の指標が次のページにあります。

これは、その国からどれだけ起業家が生み出されているか、起業にまつわるエコシステムがどの程度作られているかなど、その国がどれだけイノベーションに対して積極的に活動を行なっているかを示すランキングです。

上位に世界的にも有名な起業家を数多く輩出している欧米各国が並ぶ中で、台湾が、13位の香港に次いで18位と、アジアの中では第2位に選ばれています。

この表からも、台湾が新たな経済成長を遂げるために行なった方向転換の効果が徐々

◉イノベーションに対しての積極性を示す国際ランキング

順位	国名	GEI
1	アメリカ	83.6
2	スイス	80.4
3	カナダ	79.2
4	イギリス	77.8
5	オーストラリア	75.5
6	デンマーク	74.3
7	アイスランド	74.2
8	アイルランド	73.7
9	スウェーデン	73.1
10	フランス	68.5
11	オランダ	68.1
12	フィンランド	67.9
13	香港	67.3
14	オーストリア	66.0
15	ドイツ	65.9
16	イスラエル	65.4
17	ベルギー	63.7
18	**台湾**	**59.5**
19	チリ	58.5
20	ルクセンブルク	58.2
21	ノルウェー	56.6
22	カタール	55.0
23	エストニア	54.8
24	韓国	54.2
25	スロベニア	53.8
26	アラブ首長国連邦	53.5
27	シンガポール	52.7
28	**日本**	**51.5**

（参照：GEDI = Global Entrepreneurship Index 2018）

に現れ、力強い台湾パワーの一つの要因にもなっていることがわかります。

ちなみに日本の順位は台湾から下がること28位と、ずいぶん下にありました。

２００９年以降、景気動向指数は継続的な上昇を示しているにもかかわらず、体感としてはまったく豊かになっているようには思えない現代の日本。

ブラック企業の横行や政府、企業による悪質なデータ改ざん問題、さらには短絡的な衝動による殺傷事件など、最近の日本は、どこか日本人の品性を疑うばかりの事件も増え、未来を夢見るような明るさや元気が失われているように思えてなりません。

その日本全体を覆う暗い雰囲気が、若者たちの考え方にも大きく影響を及ぼしていることは間違いないでしょう。

本来であれば、若者だからこそ明日を夢見て、新たなことにチャレンジしていくという姿が古来当然かと思いますが、その選択肢が取りづらくなっているのかもしれません。その結果が先のランキングのようなデータに現れているのではないでしょうか。上に立つリーダーが現場の人々を毎日笑顔でほめたり、小さな改革でも本気で感動したりすることが大事でしょう。

かつては、より良い暮らしを求めて高度経済成長を遂げ、世界を席巻してきた日本ですが、今は誰もが自信を失い、将来への不安を抱え込んだまま、大いなる迷いの中でもがき足掻《あが》いているように思えます。そんな日本と比べ、今も力強く独自の歩みを進めている台湾。いったいどこに違いがあるのでしょうか。

勢いづく台湾のベンチャー産業

優秀な学生たちが集まる台湾随一の大学とも言われている台湾大学。その最先端コースを取材したわたしは、台湾政府が後押しするイノベーション型思考を身につけた若きエリートたちが実際にどのような企業を起《た》ちあげたのか、それが気になりました。

今や巨大企業となった前出の鴻海《ホンハイ》精密工業も設立当初は小さな、いわゆるベンチャー企業でしたが、同じベンチャーとは言え、鴻海が起業された頃に比べると、今は社会状況も違いますし、社長の考え方や価値観も大きく変わってきていると思います。

台湾に力強い経済成長をもたらしている要因の一つが、その次々に現れるベンチャー企業にあるのだとしたら、その起業家たち、つまり、台湾大学を卒業したエリートたちがいったいどんなことを考えて起業し、どうやって生き抜こうしているのか。

その生の声をぜひとも聞いてみたくなりました。

ミレニアム世代のCEOの発想術

そこでわたしは、台湾大学の卒業生たちが集まって起業したという、あるベンチャー企業へ向かいました。

台北市の中心部にある大きなビルの中にあるその企業の名は、

「iKala（アイカラ）」

こちらは、台湾大学を卒業した同級生4名によって、2011年に創業されたベンチャー企業です。投資家に出資を受けながら、政府が成長戦略に掲げている産業分野の一つであるAIを活用したビッグデータの解析に基づいた、AI主導型のマーケティングサービスを提供しています。これは今後ますます需要が伸びていく分野です。

当初、オンラインカラオケやライブ配信サービスなどから始まった事業は、年を重ねるごとに変遷《へんせん》していき、現在では、台湾最大のGoogle《グーグル》 Cloud《クラウド》のテクノロジーパートナーとしてクラウドサービスを提供し、シンガポールやタイ、ベトナム、そして日本にも事業を展開。また、インフルエンサー・マーケティングプラットフォームやソーシャルコマースツールのパイオニアとなるなど、新たな成長産業分野で、着実に成長し、成果を上げている企業です。

- マーケティング……企業が生み出す製品やサービスがより多く売れるように行なう市場調査や宣伝などの企業活動の総称。
- クラウドサービス……従来は手元のコンピュータで利用していたデータやソフトウェアをネットワーク経由で利用できるようにするもの。目には見えないネットワークを雲（クラウド）とイメージしている。
- インフルエンサー……世間に与える影響力の大きい人物、ブログやSNSなどにおいてフォロワー数が多い人物のことを指す。彼らが発信する情報を企業が活用して宣伝することをインフルエンサー・マーケティングと呼ぶ。

そんなアイカラを経営するのがミレニアム世代のCEO、Sega Cheng（セガ　チェン）さん。セガさんは台湾大学で情報管理を学んだのちアメリカに渡り、スタンフォード大学へ留学。そこでAIの修士号を取得します。卒業後はGoogleに入社し、ソフトウェアエンジニアとして様々な業務を経験し、その後、再び故郷である台湾に戻り、アイカラを起業しました。

同級生である共同経営者たちも情報管理学士を持つCTOのFrank Gong（フランク ゴン）さん、公認会計士の資格も持つCFOのCandy Hsu（キャンディ スー）さん、マルチメディア学博士であるKeynes Cheng（キーンズチェン）さんといった具合に、みなさん超がつくほどのエリート、錚々《そうそう》たる顔ぶれです。


オフィスに入るとすぐに光がたくさん入るラウンジのような空間が広がり、とても開放的な印象を受けました。そこは社員の皆さんがくつろいだり、気さくに話し合ったり、ランチを食べたりする場所とのこと。冷蔵庫やキッチンもついており、ランチをここで作って食べる人も多いと聞き、わたしは思わず微笑んでしまいました。

そのまま奥へ進むと、通路沿いに部屋が並び、社員の皆さんがパソコンに向かって真剣な表情で仕事をしていました。

皆さんとても若く、静かな中にも秘めたる熱気が溢れているといった感じです。まさに今、成長しつつあるベンチャー企業の姿がありました。

社長室にお邪魔すると、セガさんがとても優しい笑顔で迎え入れてくださいました。包容力のある優しい雰囲気を持った好青年です。
台湾の掲げた計画を実践する、まさに理想型のようなエリートであるセガさん。
彼ははたしてどのような思いで起業したのか、そして、どんな将来を思い描いて今を生きているのでしょうか。

——こちらはどのようなお仕事をされている会社なのですか?

セガ　弊社は、一言で言うと「AI主導型マーケティングテクノロジー企業」です。クラウドとアドテクノロジーを使い、広告主の

左が社長のセガ・チェンさん

みなさまが、より優れたパフォーマンスをより簡単に得られるようご支援することが主な仕事です。

- アドテクノロジー……広告テクノロジーやアドテックなどとも呼ばれるもので、インターネット広告に関するシステムのこと。

——ＡＩがビッグデータを解析して、それをマーケティングに活かす？

セガ　そうです。わたしたちはＡＩが人類の力を拡張してくれると確信しています。ですので、ＡＩの力を最大限に活用することで、お客様は新たなビジネスチャンスの発掘ができ、さらなる価値を生み出せるようになり、その結果、より高い目標の達成に向けて多くの時間を費やすことができるようになると思います。これまでは膨大なデータを人間が収集し、解析していましたが、今後はそれをすべてＡＩがやってくれるのです。

——わたしはかつて東京大学医学部で学び、疫学について博士号を取得したのですが、その当時、35年くらい前の段階ですでに50万人ぐらいのデータを収集・解析して、食事からの栄養と健康との因果関係を解析していました。これは、今で言うところのいわゆるビッグデータだと思うのですが、いかがですか？

セガ　それはすごいですね。おっしゃるようにそれはまさしくビッグデータの解析だと思います。先生の方がすでにわたしたちよりずっと前からビッグデータを活用していたわけですね。ＡＩではなく、先生ご自身がですが。

——具体的にはどのようなサービスがあるのですか？

セガ　広告効果が高く、影響力のあるインフルエンサーを集めたマーケティングプラットフォームである「ＫＯＬ　Ｒａｄａｒ《レーダー》」をご提供しています。

これは、商品を広めたいクライアントとその商品のターゲットに影響力のあるＫＯＬをより効率的に正しくマッチングさせるサービスです。

・マーケティングプラットフォーム……マーケティングで実際に行なう業務を支援する

マーケティングツールの総称。

・ＫＯＬ……Ｋｅｙ　Ｏｐｉｎｉｏｎ　Ｌｅａｄｅｒの頭文字をとったもので、中国や香港、台湾などをはじめとするアジアで販売促進に関して大きな影響力を持っている専門性の高いインフルエンサーのこと。

・ＫＯＬ　Ｒａｄａｒ……アイカラが提供しているサービス。企業とＫＯＬを効率的に正しくマッチングさせるサービス。

――どれくらいの規模で、どのようなデータを分析しているのですか？

セガ　１万人以上のインフルエンサー情報を常に分析しています。彼らが配信しているページにはどのようなターゲットがどのようなキーワードでやってくるのか、どれくらいの時間視聴しているのかなどを弊社が開発した独自の技術で解析し、それをクライアントにご提供しています。一番効果の高いインフルエンサーをピンポイントで起用できれば、費用対効果が最大になるということです。

――台湾だけで事業をされているのですか？

セガ　いいえ、Ｇｏｏｇｌｅ　Ｃｌｏｕｄの台湾最大のパートナーとしても事業を行なっているので、台湾はもちろん、それ以外にもシンガポール、日本、タイ、ベトナムに進出しています。

――お話を伺うと、独自に開発したマーケットリサーチテクノロジーでビッグデータを解析していることと、さらには海外でも同じ仕組みを展開し、国内外問わずすべてのデータをまとめて集積していること。この二つがポイントだと思いますが、いかがですか？

セガ　おっしゃる通りです。データはどこの国でも集められる仕組みを構築できれば集められます。そのデータをより多く集め、ＡＩで解析し、さらにデータの正確性を高めていきます。そうすることでさらにデータの価値が高まっていくのです。

――そういったアプリケーションやシステムの開発はもちろん大変かと思いますが、わたしにはグローバリゼーションが進むとさらに大変なことが起こってくると思うのです。例えば、いろいろな場所や国のデータをきちんと取得し、解析しようとすると、それぞれに担当者を配置する必要があるかと思います。

その現場で指揮を振るう担当者は概して他社から見ると、ヘッドハントしたいような優秀な人材でもあるわけですよね。

自社のために必死に良い人材を育てても、いまの時代、すぐにヘッドハンティングされてしまう場合があります。御社ではそれに対してどのようにお考えですか。やはりそれを防ぐ方法として一番大きいのはお金ですか？

（CEOの断言――「お金よりも大事なことがある」）

それを聞いたセガさんはそこでふと楽しそうに微笑むと、秘密の話を打ち明けるように嬉しそうな顔で言いました。

＊　＊　＊

セガ　じつは今でも、たくさんのヘッドハンティング会社から、わたしをヘッドハンティングしたいという連絡が入るのです。

＊　＊　＊

それを聞いて、わたしも思わず笑ってしまいました。

台湾最大のＧｏｏｇｌｅ　Ｃｌｏｕｄのパートナーとなっているほどの企業の社長にもヘッドハンティングのオファーが届いているというのです。

＊　＊　＊

――社長にですか？

セガ　はい、そうです。

――その内容はきっと、お給料を今よりも１００倍出すからぜひ転職してほしい、みたいな内容かと思いますが、いかがですか？

セガ　ええ、おっしゃる通りです。でも、わたしはお金では動きません。これは社員にも伝えていることです。

――どういうことでしょうか？

セガ　これはわたしの一存ですが、わたしたちの会社はすでに、とても重要な事業に着手し始めました。そして、このような事業、つまり仕事は、わたしにとって、お金より大事なものです。

もし仮に、今より5～10倍のオファー金額を見せられたら、会社員であれば誰でも心が揺れると思います。しかし、そこでわたしは次のように考えます。

「わたしにとって何がもっとも大事なことか？」

そこで考える。

考えに考え抜いた挙げ句、最後に何が残るか。

それはやはり、

「自分は何をやりたいのか？」

です。

これに尽きます。これが最も大切です。

また、若者にとっては、そこに世界的に活躍できる場があるかどうかも大切です。そういう場があれば、お金よりも自分の力を試したいと思えるからです。

ですので、仕事をする上で何が大切なのかということを、新入社員にも退職していく社員にもいつも伝えているのですが、それは、

「一番大事なのは根性、そして粘り強くやりぬくこと」

だということです。


――根性とやり抜くこと。たしかにそれは人生を形作る上で、とても重要な要素だとわたしも思います。しかし、あまりにもＩＴ業界とはかけ離れた答えに、わたしは正直驚かされました。

セガ　外の世界には選択や誘惑がたくさんあります。しかし、その選択や誘惑に引きずられてしまい、自分が本当は何をやりたいのか、何をやれば良いのかがわからずに転々と安定しないでいると、人生において大切なものを積み重ねることができませんし、そ

れでは永遠にレベルアップもできません。個人がいかに成長するかを考えると、それはとても良くないことだと思います。

——そのように大切なことを社員の方々に常に言っているというのも、この会社の強さなのかもしれませんね。お金ではない価値を植え付けると言いましょうか。

セガ　わたしが社員に対していくら「ヘッドハンターと話をするな！」とか「ヘッドハンティングに応じるな！」と言っても、ヘッドハンティング自体は禁じられません。

ですので、わたしたちの解決方法は、

「いかにわたしたちの会社を良くするか」

ということに尽きます。

社員が離れていくことを止めるよりは、心からこの会社に残りたいと社員が思うような会社になるようにもっていきたいのです。

——会社が魅力的であれば、お金では動かないようになるということですね。

セガ　そうです。そこでわたしたちが一番大切にしていることは「企業文化」です。社員が、自分たちは大事な仕事をしているのだという実感を持てるようにすること、また、自分たちの能力や才能を世界に見せる舞台がこの会社にはあるのだ、そういう風に感じてもらえるようにすること。これがもっとも大切なことだと思っています。

――そのお考えは大変素晴らしいと思います。今の時代、世界中で問題になっていると思うことは、お金を持っていることが自分を誇れるたった一つの価値観だと思うような思想が、病のように世界中に広がっていることです。

わたしは、お金以上に価値のあることがこの世界にはあるということを伝えるのが、親の役割だと思っています。先祖から親へ、自分へ、そして子供へ、孫へと、そのような教育を続けていくことで、人として成り立っていくものだと思うのです。

それをするからこそ先祖や親を敬いますし、ひいては友人や隣人を敬うようになり、たとえお金を稼いだとしても、その人としての大切な部分は残るのではないかと思うのです。

（エリート社長を突き動かすモチベーション）

――わたしが今回台湾を取材している理由の一つが、台湾には本物のスーパーエリートたちがたくさんいるのではないかと考えたからです。

台湾の人々はいつも自分の頭で考えるクセがついていると思います。家族とか親族の間で常に世界中から情報を集めて、どういう風にしていけば生き残れるかといった経済の面からも、人間の幸せとはどんなものかという哲学的な面からも、常に真剣に考えるクセがついているのではないかと思ったのですが、いかがですか？

セガ　かなり近いと思います。

――台湾は政治的には大きな揺れの中に常にありますよね。でも台湾のみなさんはいつも安定しているように見受けられます。

大変な状況でも常に笑顔で、何ごともないかのような顔つきで乗り切っていると感じるのです。そしてこれは、これからの激動の世界を生き抜くヒントになるとわたしは考えました。

セガ　確かにそういう面はあるかもしれません。

――ここ最近、欧米でも東南アジアでも、もちろん日本や台湾でも、子供たちに幼い頃から英才教育を受けさせてスーパーエリートを作ろうとしています。

スーパーエリートになるためには赤ちゃんの頃から凄まじい競争が始まります。そのため、親や先生も含めてみんなが、自分以外は競争相手であり、彼らに勝たなければいけないよと、幼い頃から常に言い聞かせますよね。

そういうことをずっと聞かされて育った子供たちは、相手に対して、本物の愛情や友情を持てなくなっている傾向が強いと感じています。

表面的には友情や愛情を持っているように見えても、心の底から全部を信頼することはできない、そんな教育をしてしまっているように思えるのです。

ですが、台湾ではそうではない別の教育がきちんとできているように感じました。

その証拠に、セガさんのようなスーパーエリートがアメリカで起業すればもっともっと大きな成功を手にしているかもしれないのに、わざわざ台湾に戻ってきて起業している現状を見てもわかります。これについてどう思いますか？

＊　＊　＊

わたしの質問を通訳から真剣に聞いていたセガさんは、質問の内容を理解すると、わたしの目をしっかり見すえて頷《うなず》き、姿勢を改めてから話し始めました。

（故国への想いこそが視野のひろがりを生む）

セガ　台湾は今とても難しい状況に直面しています。それが、台湾の人々が海外に出る一つの要因ともなっています。

台湾のエリートの人たちは視野がとても広く、台湾だけでは考えず、世界は一つであると認識しています。なので、台湾の中でお互いに争うことはしません。

これも台湾エリートの一つの重要な特徴だと思っています。

――普通のエリートであれば、海外へ出て成功したら、戻ってこないと思うのです。例えば日本でも、スーパーエリートになってアメリカへ行ったりすると、向こうの方が所得も待遇もいいので、日本に戻らない方が幸せだと考える人も大勢います。

ですが、台湾ではそうではなく、戻ってくるという現象が数多く見受けられる。これは今の世界では奇跡的なことが起こっているとわたしは考えているのですが、いかがですか。

セガ　海外で優れた事業を立ち上げ、それが成功して、そのまま台湾に帰らないという決断を下した起業家も大勢います。それは人そ

故国への思いを語るセガ・チェン さん

れぞれだと思います。

しかし、わたしは違います。わたしは台湾に根を張ろうと思い、戻ってきました。海外でどれだけ良い事業を展開し、どれだけ大きな成功を得たとしても、いずれは故郷（台湾）には帰らなければならないという考えだったからです。それを早い時期に決断しただけです。

もちろんこれから海外で勝負しないということではありません。海外も視野に入れてビジネスを展開していきます。

ですが、その拠点が故郷である台湾だということです。

台湾は今、産業の変化や高齢化問題などいろいろな問題に直面しています。そのときにわたしたち若者は何ができるのかを考えました。

正直、具体的に何ができるかはわかりません。ただ、何かを始めなければ何も始まらないので、とにかくやってみることが大事だと思い、台湾で起業しました。

——わたしはこのセガさんのご意見を台湾の若者たちだけではなく、日本の若者たちにもぜひ伝えたいと思いました。これからの世界はますます混沌《こんとん》としてくると思います。

その中で、戦争をしないで、その上でこれから先の未来にはどういう希望があるのかということをきちんと示していくべきだと思うのです。

その一つの方法として、若者たちと一緒になって起業し、自分たちが一緒に働いている人たちと笑顔で夢をシェアしつつ、周りの人々に幸せを与えていく。

そういうビジネスモデルを作ることが一つの答えになるのではないかと思ったのですが、いかがですか。

セガ　わたしはこれまでポジティブな考え方で生きてきましたので、この10年ほどの変化の中には悪い面ばかりではなく、貧困地域もずいぶん減ってきているという、良い側面もあると考えています。

それなのに、なぜみなさんが不安に感じることが多くなっているかということについては、インターネットの発展により、ネットを通じて、他者との繋がりを求めすぎてしまったからかもしれません。

ですが、これまでの人類の発展の歴史を振り返ってみても、現代では餓死する人よりも肥満が原因で亡くなってしまう人の方が多いような時代になっていることも事実としてあります。ですので、それも踏まえて、故郷に戻って起業をすることは希望の一つであるとわたしも思いました。

父親から学んだ起業精神の三つの鉄則

やはりセガさんがアメリカではなく、わざわざ台湾で起業されたのには深い理由がありました。今どきのただ単にお金儲けだけを考えているような浅識の経営者ではなかったのです。わたしはそこに深い感銘を受けました。

今の日本で、これほどまでに日本のことを大切に考えている若い人たちがいるでしょうか。

そして、なぜそこまでセガさんは、故郷を大切に思うようになったのでしょうか。

＊　＊　＊

――セガさんは故郷に戻ることが重要だという意味合いのことをおっしゃいました。なぜそのようなお考えを持つようになったのですか。ご家庭での教えなど、何か影響を受けることはありましたか？

セガ　わたしの祖父は農民でした。農民は社会の中で最下層にいる人たちでした。だから　とても貧しい暮らしでした。それが嫌でわたしの父は農村から離れました。

そしてほとんど何もない状態のまま台北に出てきて、必死に働きながら大学へ進む資金も貯め、大学を卒業し、やがて起業しました。

――かつての日本でも苦学生がたくさんいました。貧しい地獄から逃れる唯一の道が教育だと信じていたので、一生懸命働いて、ご飯を削ってでも、とにかく学びながら働いていたのです。ハングリー精神ですよね。そういうことをお父様は自分の生きる姿で教えてくださったのですね。

セガ　はい、そうです。父は本当に何もない状態から富を作り出しました。一つの仕事をきちんと真面目《まじめ》に30年間やり抜きました。

そしてその間、少しずつ家の生活レベルを上げていきました。

わたしはその父の背中をずっと見てきました。

わたしにとって、父が自分自身の生きる手本になっています。そこからわたしは次の三つのことを学びました。

根性を持つこと。

真面目に物事と接すること。

浪費してはいけないこと。

父から学んだこの三つのことは、起業する上でも仕事をしてゆく上でも、そして広い心で世界を見るときにも、とても大切で、とても役に立っています。ですので、親にはとても感謝しています。


――起業の陰にそのようなご家族の歴史があったのですね。そのような、親に感謝する優しいお気持ちがあるからこそ、このような素晴らしい会社を作ることができているのだと思います。お父様の影響がとても大きかったのですね。

セガ　はい。わたしが一番影響を受けたと言えるのは、父親だと思います。

――お父様はずいぶんとご苦労をされて来られたようですが、セガさんは、これまでは順風満帆《じゅんぷうまんぱん》に来られたのですか？

セガ　いえ、挫折もたくさんありましたし、悩んでいる時期もありました。数年前に会社の状況が倒産しかけるほど厳しくなったときは、体も壊しました。しかし、そういう厳しい経験を積んだおかげで、今は、いろいろなことに少しは冷静に対処できるようになったのではと思っております。

――これからもきっといろいろとあると思います。世界中の会社が御社にもっと注目してくるでしょうし、そうなるとM&Aを仕掛けてくる会社も山のように現れてくることでしょう。思わず耐えられないような罠《わな》もたくさんやってくるかもしれません。

そういうときはよほど明るい気持ちで、常に平常心でいられるくらいでないと乗り越え難いものです。

でも、そのような厳しい状況が仮にやってきたとしても、セガさんをはじめ、社員のみなさんが素晴らしく前向きで明るく、また温かくてしっかりとした思想を持っているので、そのような困難なんて軽く乗り越えていくことは間違いないと思いました。

セガ　そういう風におっしゃっていただき、たいへん嬉しく思います。先生がおっしゃるように、わたしの今の目標は、この会社を成功させ、そのあと、他の人にわたしたちの成功物語を話すことなのですから。

垣間見た台湾の強さの秘密

対談を終えたわたしは、帰りの車の中で静かな感動に包まれていました。

正直なところ、会う前は、常にエリート街道をひた走り、何の苦労も失敗もせずに名声も成功も手に入れた若手ＩＴ社長かと想像していました。

それが、対談が進むに連れ、セガさんの考え抜かれた落ち着いた言葉を聞くうちに、自分の考えが間違っていたことに気づきました。

セガさんは、自分の人生を丁寧に見つめ、その上で会社のことや社員のことを考え、さらには故郷である台湾の行く末をしっかりと見つめていました。

彼は言います。

「父は本当に何もない状態から富を作り出しました。一つの仕事をきちんと真面目に30年間やり抜きました。そしてその間、少しずつ家の生活レベルを上げていきました。わたしはその父の背中をずっと見てきました。わたしにとって、父が自分自身の生きる手本になっています」

今の日本の若い人で、こんなことをさらりと言いのけることができる人がいったいどれほどいるでしょうか？

残念ながらその数は、かつてに比べてとても少なくなっているとわたしは思います。

また彼は父親の生き方から、自分の人生を過ごす上でとても重要なことを学びます。

それが、

「根性を持つこと。真面目に物事と接すること。浪費してはいけないこと」

なんと素晴らしい言葉でしょう。

まさに人生と向き合ったとき、自分を助けてくれる宝物のような言葉と言っても過言ではないと思います。

親が子供のためにしてきてくれたことに感謝し、親を尊敬し、その親の姿から自分が生きる指針を学び取る。

そして今度はそれを胸に世界へ飛び出してさらに学び、その後、ふたたび故郷に戻ってきて根を張り、故郷のために生きる。

それを若いセガさんは実践していました。

これは今の時代では、普通は考えられないことだとわたしは思います。

ですが、その普通ではないことが、ここ台湾では起こっていたのです。

わたしはそのことに驚くとともに、胸がジーンと温かくなるような、とても感慨深い想いを持ちました。

台湾の力強さの秘密にまた一歩近づいたような気がします。

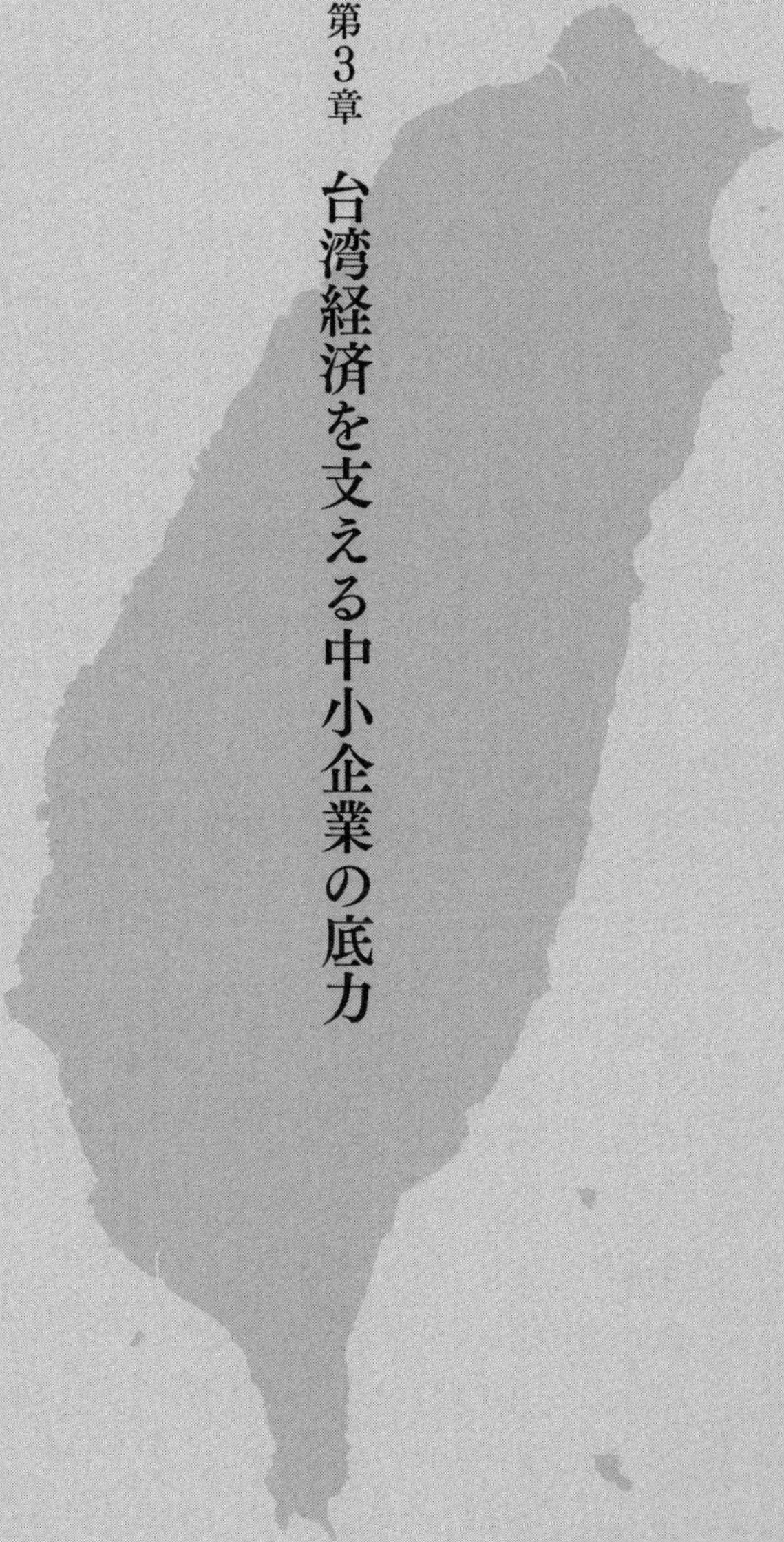

第3章　台湾経済を支える中小企業の底力

（台湾経済の縁の下の力持ち）

国際経営開発研究所（ＩＭＤ）が２０１８年に発表した「世界競争力ランキング」によれば、台湾は世界で第17位、アジア太平洋地域に限ると、香港、シンガポール、中国に次いで第４位の競争力を持っている地域と評価されています。これは日本の第25位よりもずいぶん上の評価です。

もちろん、何を評価の対象としているのかによってこのような順位は変わってくるものですが、ＩＭＤが用いた指標としては、グローバル化やＩＣＴ化をどれほど行なっているのか、またそれらを担う人材レベルはどれほどかといった具合に、その地域が、企業が競争力を発揮できる土壌にどれほどになっているかという観点が重要視されているようです。

残念ながら日本はその点においても、競争力があるとは判断されてないのが実情です。

実際、台湾政府の主導により、最先端の教育を受けた新しい世代の人たちによるＩＴベンチャーが次々に生まれ、彼らが台湾経済を牽引する新たな原動力となっていること

◉競争力ランキング 2018

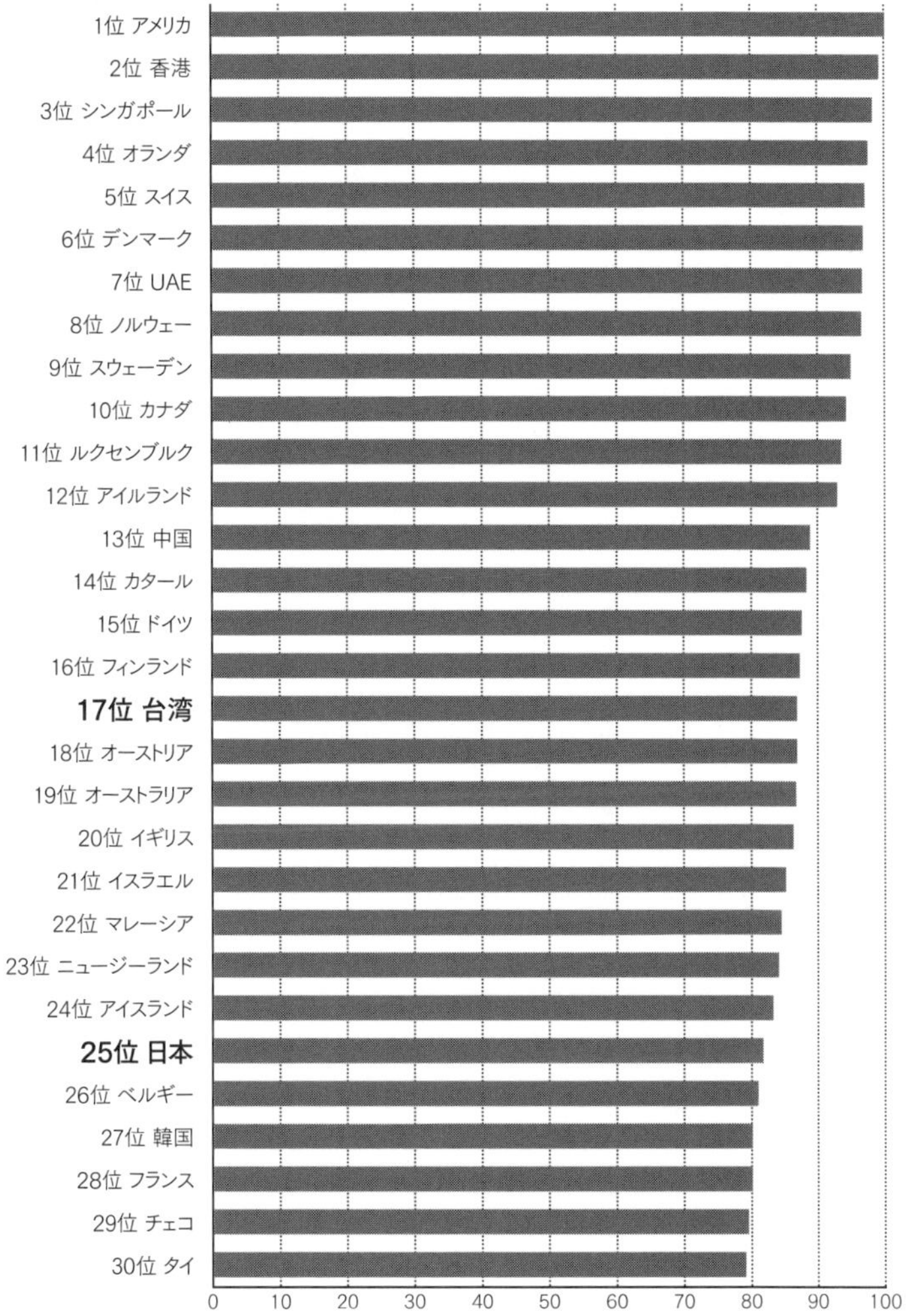

（国際経営開発研究所（IMD）資料より）

が取材を通してもわかってきました。

しかし、経済の担い手としては、彼らのような若手ベンチャーだけがそうなのかと言いますと、もちろんそうではありません。

これまでの長い歴史の中で、台湾経済をずっと下支えしてきた人たちがいます。彼らが地道に積み重ねてきたその努力こそが、台湾をこの地位にまで押し上げてきた原動力だと言っても過言ではないと思います。では、その彼らとはいったいどのような人たちのことを指すのでしょうか。

それは台湾に数多く存在する中小企業の人たちです。

台湾では、年間売上額がNT60百万未満、あるいは従業員が200人未満の企業を中小企業と言いますが、これら中小企業が台湾には数多くあります。

台湾の経済部中小企業処（日本の経済産業省中小企業庁に相当する）が2016年に発表した中小企業白書によれば、2015年の台湾における中小企業の企業数は過去最高の約138万4000社に達したということです。

これは台湾にある企業全体のうち、約98％が中小企業であることを表しています。つまり台湾にある企業はそのほとんどが中小企業であり、まさに中小企業が台湾の産業を支えていると言っても過言ではないのです。

日本にも中小企業は数多くありますが、規模の面（社員数や売上）において台湾よりも多少大きい企業も中小企業の枠に入っているので単純な比較はできませんが、台湾の方が日本よりも、より小さな企業群という印象を受けます。

家族を腕一本で養う「中小企業の父」

今回はそのような中小企業の中でも特に小さな部類に入る、まさに個人商店とも言うべきオートバイの修理店へお邪魔しました。

台湾市内にあるそのお店は、著名な観光地である龍山寺《りゅうざんじ》から南へ下った大通り沿いにありました。店の前にはオートバイがずらりと並び、一目でオートバイに関する店だとわかります。通り沿いには同じようなオートバイ修理店が何軒か並んでいましたが、その中にある一店、「全新（ゼンシン）」が今回のお目当てのお店です。

日本人には見慣れた「ＹＡＭＡＨＡ」という文字が大きく書かれた看板を出したお店に伺うと、ご主人の陳振興さんがオートバイの修理をされているところでした。胸にも同じく「YAMAHA」と書かれたロゴのついた作業着を着ている陳さん。今回はご長男が日本に留学しているというご縁から取材をさせていただくことができました。さっそくご挨拶をしてお話を伺っていきます。

＊＊＊

――初めまして。菅原明子と申します。

陳　こんにちは。陳振興と申します。ようこそいらっしゃいました。

＊＊＊

わたしはまず陳さんに握手を求めました。すると彼は、油で汚れた手をタオルで拭《ぬぐ》おうとしました。しかしわたしはそのままの手でもまったく問題はありませんでした。その汚れた手こそ、彼が真面目に働いている証《あかし》だと思ったからです。それを聞いた彼は何度も「ありがとう」と言いながら、しっかりとした握手をわたしに返してくれました。

店内には、修理途中のオートバイが2台ほど置かれ、その周りにはたくさんの工具や専用部品などが所狭しと並んでいました。

片側の壁には修理をしながらオートバイの反対側を見られるようにするためか、大きな鏡が横長に張り付けられていて、もう一方の壁には機械油などがきれいにまとめて置かれていました。オートバイを修理しやすいようにする工夫が随所に見られたこのお店を、陳さんは奥様と二人で切り盛りしているそうです。わたしはその昔ながらの佇《たたず》まいをしたお店を見回して、思わず昔の日本のことを思い出しました。

＊＊＊

——日本映画で「ALWAYS《オールウェイズ》 三丁目の夕日」という映画があるのですが、こちらのお店はまさにそのムードですね。昭和30年代頃のお話で、今はまだお店があまり大きくなくても、子供が大きくなる頃にはもっと大きくするのだという夢を自分の中に持って日々笑顔で頑張っていくといったストーリーですが、ここが、そこに出てくるお店と同じ雰囲気を持った場所に感じるのです。陳さんはご覧になったことはないかもしれませんが、そのような感覚を持っていらっしゃったりしますか？

陳　はい、そうですね。この仕事では大金を稼げるというわけではありませんが、子供たちは放課後、家に帰ってきたらすぐに親と会うことができるのはいいことですね。サラリーマンの家族でしたら、学校から帰ってきても、お父さんは見当たらないし、共働きですとお母さんさえいない場合があります。でも、この仕事なら子供たちは放課後すぐにわたしたちに会えるのです。

——その映画でも、「ただいま！」って子供が帰ってくると、近所の子供たちも一緒にそのお父さんの仕事を見たり、お母さんの愛情に包まれて、お母さんが出してくれたおやつを食べたりしながら立派な大人になっていくという内容で、まさに陳さんがおっしゃるような感じですね。

サラリーマンのご家庭ですと、陳さんの家のように、お父さんの一生懸命働いている姿を見られないので、つい子供たちも考え違いを起こしてしまいがちです。たとえば子供たちが就職したりなんかすると、そこまで進めたのはすべて自分だけの力だなどと勘違いをしてしまうのです。そのような傾向が多くなっているかと思いますが、その点についてはどう思いますか？

陳　サラリーマンのご家庭ではなかなか子供たちと触れ合う時間も少ないとは思いますが、正直なところ、わたしも子供たちには申し訳ないと思っています。と言いますのも、

台北市内で陳振興さんが経営するオートバイ店「全新」

仕事や家庭・家族について語る陳さん

昔からわたしは仕事にかなりの時間を費やしてしまい、子供たちと過ごす時間をあまり取れませんでした。

ここで仕事をしていればたしかに会って話すことはできるのですが、しっかり子供と過ごせてやれなかったことは今でも申し訳なく思っています。もっと子供たちと一緒の時間を過ごさなければと思いつつも、やはり仕事に時間を割いてしまい、それができなかったのです。それでもうちの子はわたしたちにとても懐いてくれて、いまだに会うたびに、大好きだよと言っては抱きついてくれるほどです。

――それはとても愛情深いですね。日本では子供たちを一流にしたいと一生懸命に頑張る親は多いのですが、そうまでしても子供たちから冷たくされるまでいかなくとも、愛情表現をあまりしてくれない子供たちが多いと思います。ですので、陳さんのお子さんたちのそうした態度はとても羨《うらや》ましい話かもしれませんね。

＊＊＊

ご自身の腕でしっかりと働いたからこそ、これまでしっかりと家族を養ってきたでしょうに、それでも、子供に時間を割いてやれなかったと苦笑する陳さん。優しい人柄が言葉や動きの端々《はしばし》からにじみ出ています。

彼らのような方々がこれまでの台湾を支えてきたと思うと、わたしはさらに詳しい話を彼の口から聞きたくなりました。

彼らがどのような態度で子供たちと接し、どのような言葉をかけ、どのような家庭を築き上げてきたのか。きっと陳さんの家のような家族が台湾中にたくさんいて、ひいては彼らの教えが今の台湾を作り上げている。わたしはそう思ったのです。

ここでさらに詳しいお話を伺うため、陳さんのご自宅へ伺うことになりました。

気持ちよく朝を迎えるためのルール

お二人に促されてご自宅へ向かいます。玄関を入るとすぐに大きくて立派な祭壇が我々を迎えてくれました。そこにはこちらでいうところの「商売の神様」として信仰されている立派な関羽《かんう》像が祀《まつ》られてありました。横浜の中華街にも関羽を祀る関帝廟《かんていびょう》がありますが、これは、義を重んじる関羽を商売の神として信仰していた山西省の商売人が各地へ商売を広げていくなかで広まっていったとする説が有力とされている信仰です。

商売人である陳さんですから、やはりもっとも大事な神様として関羽を玄関に祀ったのでしょう。

＊　＊　＊

——これは毎日拝んでいるのですか？

陳　はい、毎朝拝んでいます。

——やはりこれを毎日拝んでいると、商売がうまくいきますか？

陳　誠実に商売をしていればそうなると信じています。

——おふたりとも、とても誠実そうに見えま

画面中央、台座の上に見えるのが関羽像

すし、お互いをいたわり合い、その優しさがお子さんたちへもきちんと伝わっているように感じました。やはりこのような信心深さも商売やご家族がうまくいく一因となっているのではないかと思いますが、いかがですか？

陳　それもあるかもしれませんが、もう一つ大事なことがあります。わたしの家にはあるルールがありまして、朝は全員どんなことがあっても気持ちよく迎えて欲しいということです。ですので、妻にお願いしているのは、毎朝、子供たちを起こすときには、どうか気持ちよく起こしてほしいということです。

なぜならば、朝に良い気持ちで目覚めることができれば、子供たちは良い気分のまま学校に行くことができるからです。しかし悪い気分のまま学校に行ってしまうと、勉強に集中できません。それでは勉強の質も落ちてしまうと考えます。つまり、朝に良いスタートができれば、それだけでもう半分は成功したも同然なのです。

——それは素晴らしい。だってそれを実行することは簡単そうでいて、じつはとても大変なことですから。前の日に上手に商品を売ることができなかった、外で嫌なことを言われて心がムカムカした、などなど、ときには自分の心をなかなかコントロールできずに、子供たちに「早く起きなさい！」などと、つい言いたくなってしまうときもあるかと思います。それなのに、それができるというおふたりはすごいですよね。

＊　＊　＊

そう言うと、陳さんは、「自分はそう信じているだけです」と笑顔で謙遜《けんそん》しました。このような考え方を実際に行動に移すことは本当に難しいことだと思いますし、日本でもあまりないような考え方なのではないでしょうか。

〈教育への投資にみなぎる想い〉

それにしても、それほどまでに子供たちに気持ちよく学んでもらいたいと思う気持ちはいったいどこから来ているのか。男女ふたりずつの計４人のお子さんたちを立派に育て上げた陳さんの教育方針などについて、子供たちの部屋へ移動してから、さらにお話の続きを伺いました。

＊　＊　＊

――子供たちの授業料などは全部お父さんが出しているのですか？

陳　ええ。子供4人とも大学1年生までの学費はわたしが出しました。2年目以降は、お客さんから「陳さんのところは子供が多いから、助学ローンを組んだ方がいいんじゃないの」というアドバイスをもらい、たしかに助学ローンは利息がなく、子供たちにも自分たちで責任を持ってもらいたいので、4人ともローンを組んでもらいました。

――子供がひとりならしっかりとした金額をかけられると思いますが、4人もいると単純計算でも4倍もかかります。たとえ2年目以降はローンを使えたとしても教育費の負担はかなり大きいと思いますが、いかがですか？

陳　おっしゃる通り、とてもかかりました。特に一番下の男の子は、幼稚園から大学まですべて私立の学校に行きましたので、けっこうかかりました。

――え？　それはかなりかかりますよね。すでに3人とも大学に行かせているのに、そこからさらに私立までとは恐れ入ります。なぜそこまで教育にお金をかけようと考えられたのですか？

陳　最初の子供の頃は、わたしたちも学校のことについてそれほど詳しく知りませんでしたので、成り行きに任せていました。ですが、だんだん年をとるにつれて、お客さんや親戚たちと教育のことについて話す機会が増え、そこで、どの学校に行けばより良い就職先へ就けるのか、どういった学校が今後の人生で有利に働くか、などを知るようになりました。それを経て、もしそういうことがあるのなら、子供たちにはできるだけ良い学校に行かせてやりたいと思ったのです。

＊　＊　＊

世界大戦が終わってから16年が経った1961年、中学を卒業した陳さんは、田舎から台北に出てきました。中学を卒業といえばまだ15、16歳の若者です。

右も左もわからない中で、まだ青年にもなりきれていない若者だった陳さんは、決意をして大都会に出てきたと言います。

いったい彼はどんなことを考え、そのような人生の道を選んだのでしょうか。当時の想いを語ってくれました。

＊　＊　＊

陳　あの当時、わたしの家はとにかく貧しかったんです。中学を卒業した後、わたしはもっと学びたいと思い、高校へ進学したかったのですが、家にはそんな余裕はありませんでした。選択肢がなかったのです。

なので、わたしは生き残るために技術を学ぶことにしました。でもあの時代は、みんながそういう状況に追い詰められました。わたしだけではありません。多くの若者たちは生き抜いていくために技術を学ぶことを選択したのです。

――自分たちも将来への意欲や大望を持っており、もっと学びたかったけれども、家が貧しくて学べなかった。それもあって、今は、子供たちが学べる環境にあり、実際に学んでくれている、それが陳さんたちの喜びになっているということでしょうか。

陳　そうですね。

――わたしも4人兄弟なのですが、わたしは戦争が終わった直後に産まれました。その当時、ある占い師からわたしの母が、今は貧しくてもなんとか子供に教育をつけさせてあげなさいと言われたんだそうです。

母も大学を出ていませんが、その占い師の言葉を信じてくれたおかげで、わたしは大学院まで行かせてもらえました。その話と、陳さんのところのお話もわたしにとっては同じように思えます。そういった意味で、陳さんたちのお話は、まるでわたしの両親の話を聞いているようです。

＊　＊　＊

そう伝えると、隣で静かに聞いていた奥様の王さんが思わずといった感じで、ご自身の想いを語り始めました。

＊　＊　＊

王　わたしたちの頃は、みんな田舎から出てきたので本当に全員貧しかったんです。わたしの親は字も読めませんでした。ですので、台北という都会に出てきたとき、わたしは誰にも頼れませんでした。どんな苦難があっても、自分だけを頼るしかありませんでした。

そういったこともあり、子供たちにはどうしてもわたしたちと同じような思いや苦労をさせたくなかったのです。

——教育する親の気持ちとしては、そう思うのは当然のことかもしれませんね。子供たちには自分たちのような苦労をせずにもっと勉強して、もっと立派になって欲しいと願うことは、それがそのまま自分たちの喜びにもなるからだと思います。

しかし日本では残念ながら、そういう時代はもう終わっているように思えます。そういった気持ちよりも、よその人がみんなやっているからわたしの家もやらないと恥ずかしいといった気持ちから、子供たちを一生懸命塾に行かせたり、私立学校に行かせたりとお金をかけています。

ですがそれが即、親の幸せにはなりませんし、子供の幸せにもなっていないという残念な家庭が増えてきているように思います。

陳　他人と比較するとキリがありません。ですので、子供たちが自分の意思でやりたいことを決めたら、わたしたちはどんなことであろうとそれを応援します。

わたしたちの言葉に「もっと上のレベルの人たちと比べたら足りないところはたくさんあるが、下と比べたら余裕がある」という言葉もあります。

成長して次第に自分の考えを持ち、その上で自分の夢を追いかけるということでしたら、わたしは子供たちに自分の跡を継いでこの店を守ってほしいとは言いません。そのときは子供が選択した道を尊重します。

――それが一番大事なことだと思います。子供に教育をつけてあげるということは、子供たちが大人になって親の巣から離れていくときに、自分の飛びたい方向へ飛んでいくための羽を植え付けてあげることだと思っています。

その羽が十分に立派になったら、こっちの方に飛んでいこうと、あっちの方へ飛んでいこうと、それは自由にどうぞって言える親が立派だと思うのです。ですが、最近ではそれができない親も多くなっていることがとても残念に思います。

陳　全く同感です。

――たとえば、子供が一流大学を出たら、その次はこっちの大学院へ行きなさい、こっちの会社へ入りなさいといった具合に、親が一生懸命、次々にレールを敷いたとしても、子供たちはその通りに進まないこともあるわけです。ひょんなことから音楽家になってしまったなんて場合もあるのです。

このように親の望まないことを子供がやると、急にがっかりしたり、怒っちゃったりする親が残念ながら最近の日本ではとても多くなっているように感じますが、陳さんの家ではそうではないから素晴らしいと思いました。

強さと優しさの絶妙なバランス

陳さんのお話を伺いながら、わたしがいちばん感動的に思ったことは、おふたりとも子供のために休む暇もなくたくさん働いているにもかかわらず、愚痴《ぐち》を言ったりすることもなく、素晴らしい笑顔に満ちあふれているということでした。

普通なら、自分の休みもなく遊ぶ暇もなく、年がら年じゅう、子供たちのために働き通しだったとしたら、きっと、苦しいとか辛いという感じが表情などに出ると思うのですが、お話を伺っている限り、おふたりとも笑顔がとても素敵ですし、子供との関係も、夫婦の関係も良好で、今、彼らがやっていることにはなんの間違いないと確信を持って言えるように思いました。陳さんご家族がなぜ、このように幸せな関係性を構築できているのかということにも納得できました。

＊＊＊

——ちなみに、ご長男は今日本へ留学しているということですが、将来どのようになってもらいたいなどのご希望はありますか？

陳　彼が真剣に考えて、進みたいと考えた方向を応援します。じつは彼から話を聞いたのですが、彼は日本で大学を卒業して、そのまま台湾には戻らずに日本で働きたいと考えているようです。

——陳さんとしてはそれで良いとお考えですか？

陳　これからたくさんの困難が彼を待ち受けていると思いますが、それを自分で乗り切れるということであれば、わたしたちはその決断を応援します。

――そうですか。ちなみに、今でも日本への留学費用などは払っているのですか？

陳　いいえ、払っていません。

――だとしたら、今おふたりで働いていらっしゃるお金は子供たちの教育のためではなく、おふたりの老後のためとか、日本などへ旅行に行ったりするための、つまりご自身たちのために使えるお金というわけですね。

陳　そうですね。長男が誘ってくれたら、日本にも行きたいと思っています。

――お話を伺っていると、おふたりとも明るくさらにとても芯がしっかりされていて、どんな苦難があってもけっして負けることはないといったたくましさを持っていると強く感じました。政治のことも含めて、外側の要因がどんなに変わったとしても、この家庭を一生幸せにしていくということが、おふたりの信念であるのではないでしょうか。優しさと強さが絶妙のバランスで成り立っていると言いますか、おふたりのような立派な方が今の日本に少し減っているような気がしますが、いかがですか？

王　台湾ではほとんどの家庭がこのような感じだと思います。

——おふたりはご自分たちだけで何十年と事業をなさってきましたが、ご長男がもし会社勤めを辞めて、起業したいと言ったら、どのようなことをアドバイスされますか？

陳　まず経営する能力がないといけません。それがないと話になりません。また、現実を見る力もないといけません。夢ばかり見ていても仕方ないのです。若者はみんな大きな夢を見ますが、必ず現状についても考えなければいけません。そこで自分が勉強したいものを必死に習得し、能力を身につけなければ、人生のうちに何も成し遂げることはできないのです。

――なるほど。とても哲学的ですね。ビジネスセミナーのトップの人が語るような内容だと思います。おっしゃる通り、現実を見るということをみんな忘れてしまいがちです。夢ばっかり追いかけて、たとえば料理がちょっと上手だと人から褒められたら、すぐに銀行からお金を借りて、いきなりレストランを開いてしまう。しかし3年以内に潰れてしまうような人もとても多いですからね。自分の足元、立ち位置をきちんと把握する能力がとても大事だと思います。

ご長男は、今はサラリーマンになることを希望していても、将来力をつけたら、お父さんの仕事を見ているので、そのうち本当に起業するかもしれないですね。

陳　中国には「望子成龍、望女成鳳」ということわざがあります。これは息子には龍になることを望み、娘には鳳凰《ほうおう》になってほしいと願うといった意味ですが、たいていの親はこの気持ちを持っていると思います。ですので、わたしも同じように、長男には龍のように大きく羽ばたいていってもらいたいと思っています。ただし、夢を持つことは良いことですが、夢ばかり見て努力をしないようではいけません。

人は様々な試練を乗り越えて、成功に至るものです。何も苦労せずに成功を望もうとしてはいけませんし、それでは成功しません。何よりも大事なことは努力です。成し遂げようとする努力が大事なのです。

長男がサラリーマンを続け、起業しなくても、わたしにとって別に問題はありません。何より大事なことは、責任を持って仕事に取り組み、家族を養っていれば、わたしたちがとやかく文句を言うことはありません。

――今の日本人が忘れかけている、とても地に足のついたお言葉だと思います。このようにに包容力のあるご両親に育てられたお子さんはとても幸せだと思います。ちなみに、お子さんを育てる時に、どのような言葉をかけてあげていらっしゃいましたか？

たとえば、子供たちが帰ってきたら「可愛いね」とか「愛しているよ」とか、毎日あふれるような優しい言葉をおふたりから、特にお母さんから、かけてあげていたのではないかと想像するのですが、いかがですか？

王　子供たちにはいつも、あなたはわたしと縁があるから親子になったのよ、とか、台湾にこんなに親子がいるのに、なぜあなたは他の親の子供にならなかったの？　また、なぜわたしが他の子供の親にならなかったのかしら、それはわたしたちの縁だからよ。

だからその縁を大事にしなさい、などと常々言ってきました。

その結果だからかはわかりませんが、彼は毎日、家に帰ってきたときも、夜寝る前にも、わたしたちのいる上の階までわざわざやってきて、わたしに抱きついて、「ママ、愛しているよ」と言ってくれていました。

＊＊＊

子供たちから「大好き」とか「尊敬している」などと言われることは、親にとってはどんなプレゼントをもらうよりも嬉しいことです。たとえ子供たちに素晴らしい学歴があろうとなかろうと、そういう優しい言葉をかけてもらえたということが、一生懸命に子育てをしてきた最大のプレゼントであるとわたしには思えました。

おふたりが実際にされているこの生き方にこそ、日本がもう一度輝くためのとても大切なヒントが隠されている。

この対談を通して、そのことをわたしは改めて再確認した次第です。

第4章　未来を見すえた新たな子供教育

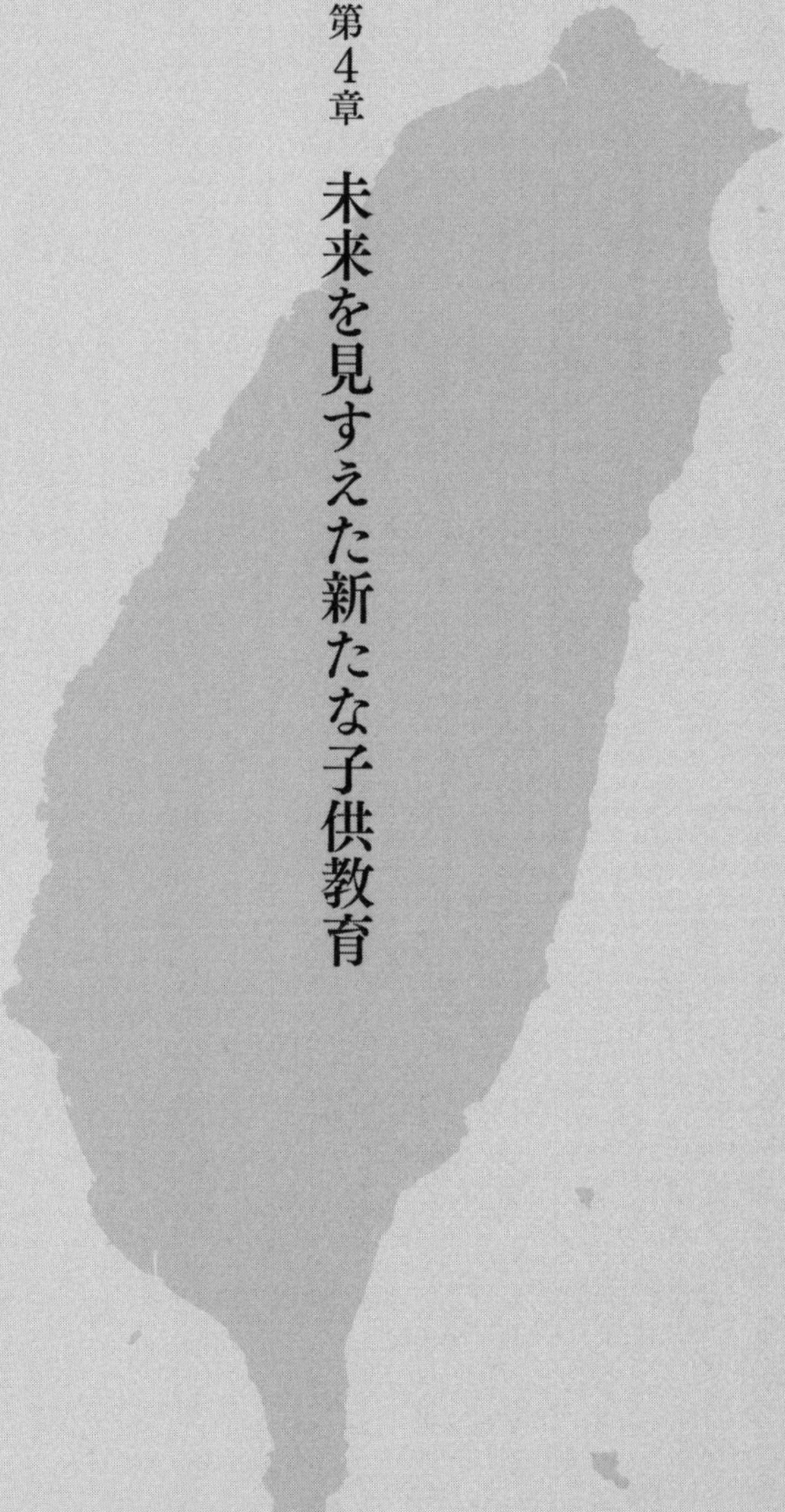

子どもの教育にかける親たちの熱意

先の章の陳さんのお話からも伺えるように、台湾では、貧しかった時代を知る親が、自分たちの子供には自分たちが味わったような苦労をさせたくない、なんとしても不自由をさせたくない、そう強く願っていることがわかりました。

自分たちはもっと学びたかった。でもそれが叶《かな》わなかった。もっと上のレベルで学ぶことができれば、自分たちはもっと稼ぐこともできたはずだ。だからこそ、自分たちが頑張りさえすれば学費を出せるのであれば、せめて子供たちにはできるだけ良い教育を受けさせてやりたい――そう考える親が大勢いたのです。

その親たちの強い想いが子供の教育への高い関心となって表れ、それが台湾における大学進学率が95%以上にもなるといった結果へとつながっていったのでしょう。

翻《ひるがえ》って日本はどうでしょうか?

わたしが思うに、日本にもかつては同じような想いを抱いていた親たちがたくさんいたように思います。

終戦後の日本も戦後の台湾と同じように物資も少なく、日々の暮らしに余裕はなく、皆貧しいなかにも明日を夢見て必死に生き抜いていた時代です。

自分たちの時間を削り、働きに働いてお金を作り、なけなしのお金を少しずつ貯め、少しでも良い暮らしができるよう、子供たちが何不自由なく暮らしていけるよう、爪に火をともすようにして生きていたという人たちは多かったと思います。

そんな必死に頑張って生き抜いてきた彼らに余裕ができて、子供たちの教育にお金をかけられるようになったとき、今度は自分たちが果たせなかった夢を子供たちに託すこともたくさんあったことと思います。それはまさに陳さんと同じような想いでしょう。

そして今度は、そのレベルの高い教育を当たり前のように受けて育った子供たちが大人になり、親になった時代が今の日本です。

その結果、現代の日本はどうなったのでしょうか。かつて生きるのにも精一杯だった親たちが夢見た幸せな世界はやってきたのでしょうか。

よその家と比べて自分の家が劣っていると思われないように私立に行かせたい、あまり余裕はないけれど、他所《よそ》の家の子供たちはみんな大学へ進学しているからウチも無理してでも同じように大学に行かせないといけないなどと、見栄《みえ》や虚勢《きょせい》で子供たちの教育を行なってはいないでしょうか。

もはやこうなると、子供たちのためというよりも、自分たちのプライドのためと言った方がピッタリくる状態に陥っていると言えます。

経済では低成長が続き、人口も減り、高齢化社会へまっしぐら、息も詰まりそうなこの日本で、親たちのそのような想いや行動が、はたして本当に子供たちの将来にとって有益だと言えるのでしょうか。わたしは甚《はなは》だ疑問に思っています。

（新しいコンセプトで誕生した小学校）

話を台湾に戻します。

将来的にアジアのシリコンバレーを目指そうとしている台湾は、今後の成長産業であるAI産業やIoT産業を担う人材の育成に力を入れる政策を行ない、今の大学生たちもその恩恵を受けて、新たな学習方法を学んでいる状況を目の当たりにしてきました。

これからますます教育への投資が熱を帯びてきそうな様相を呈していましたが、そんななか、現在すでに幼い子供の親となっている若い世代の中に、新たな試みを実践している方々がいることがわかってきました。

彼らはすでにＩＴ企業などの最先端の企業で働くことで経験し仕入れたこれからの世界の行く末を知った上で、今の台湾の既存教育にはない、新たなコンセプトを持った教育を我が子に受けさせてやりたいと考えたのです。

機械化や自動化がさらに進み、これまでの価値観とはかなり違った新しい価値観が幅を利かせそうなこの激動の時代に、ぶれずに生き残っていくためには、今の台湾の小学校教育では足りないと、その親たちは考えました。

そしてなんと、自分たちが希望する内容を自分たちの子供に教えるために自ら出資までして、わざわざ新しい小学校を建ててしまったというのです。

わたしはその行動力にとても興味を持つと同時に、はたしてどのような教育が行なわれているのか、実際にこの目で確かめてみたくなりました。

人生に対してどう考えて生きていくのか？　その基礎中の基礎とも言える根っこの考え方を学ぶ、とても大事な小学校時代の新たな教育方法とはどういった内容なのか？

わたしたちは車に乗り込み、一路その小学校へと向かいました。

（ＳＴＥＡＭ教育を行なう小学校を視察）

台北市内から車で北上すること約30分。市内を一望できる小高い山の上にその小学校はありました。

周囲を深い緑に囲まれ、爽快な風が吹き抜ける風通しの良い場所に、白い壁に赤い屋根といった可愛らしい二階建ての校舎が建っていました。

校舎の前には広い芝生の校庭があり、みずみずしい緑が広がっています。またその校庭を囲むようにして枝葉も豊かな大きな樹木が植えられ、ところどころに涼しげな木陰を落としていました。

空が開けて、空気もおいしく、とても開放的で、思わず体を伸ばして深呼吸をしてしまいたくなるような気持ちの良い環境です。

見学にお邪魔した日も、生徒たちが青空のもと、甲高い歓声をあげながら元気よく校庭を走り回っていました。

こちらは、

「Ｃｏｒｅ Ｓｃｈｏｏｌ（コアスクール）」

という名前の小学校で、そのコンセプトは、

「自分を成長させるものの見方と起業家精神を子供たちに身につけさせる」

ということだそうです。

まさに台湾大学に設立された台湾創新学院のように、こちらでもデザイン・シンキングを基にしたと思われるコンセプトです。

しかもこちらの小学校ではもう一つの特徴がありました。

それが、教科書はなんとすべて英語で書かれているとのこと。小学校から英語の勉強をするどころか、英語ですべてを学ぶというのです。まさに今後のグローバル化社会を見すえた教育です。

校舎に入ると、この学校の主催者である、Ｃ・Ｋ・Ｔｓｅｎｇ（シー・ケー・ツェン）さんとＷｅｎ―Ｃｈｅｎｇ Ｗａｎｇ（ウェン・チェン・ワン）さんが笑顔でわたしたちを迎え入れてくださいました。おふたりとも若々しく、素敵な絵柄のついた白いＴシャツにジーンズ姿ととてもラフな格好です。そこからも、こちらの学校の気さくな雰囲気が窺《うかが》えます。

詳しいお話を伺う前に、まずはどんな授業を子供たちが受けているのか、その様子を見学させてもらうことになりました。

教室に入ると、普通の小学校の教室とは違うことがすぐにわかりました。そこには、一人ひとりが座るあの四角い机がないのです。

数人で囲んで座ることができるいびつな形をした机に、青とピンクで色分けされた椅子があるだけ。子供たちはそこに座り、先生と机を囲むようにして、楽しそうに何かを話したり、作ったりしています。

これだけで既存の教え方とは違うことがすぐにわかります。先生が教壇に立ち、子供たちは先生の方を向いて一斉に座っているという状況ではありません。先生から生徒にただ教える、一方的に教えるというコンセプトとは一線を画しているのです。

先生たちは実際、生徒たちと目線を合わせるようにしてしゃがんだりしながら、生徒に話しかけていました。まさに一緒に学び、一緒に考えるスタイルです。

この様子を見て、わたしは改めて、学ぶ空間の大切さを再確認しました。

どういう風に先生と生徒が接するか？

その接し方も、コミュニケーションを取る上でとても重要なポイントなのです。

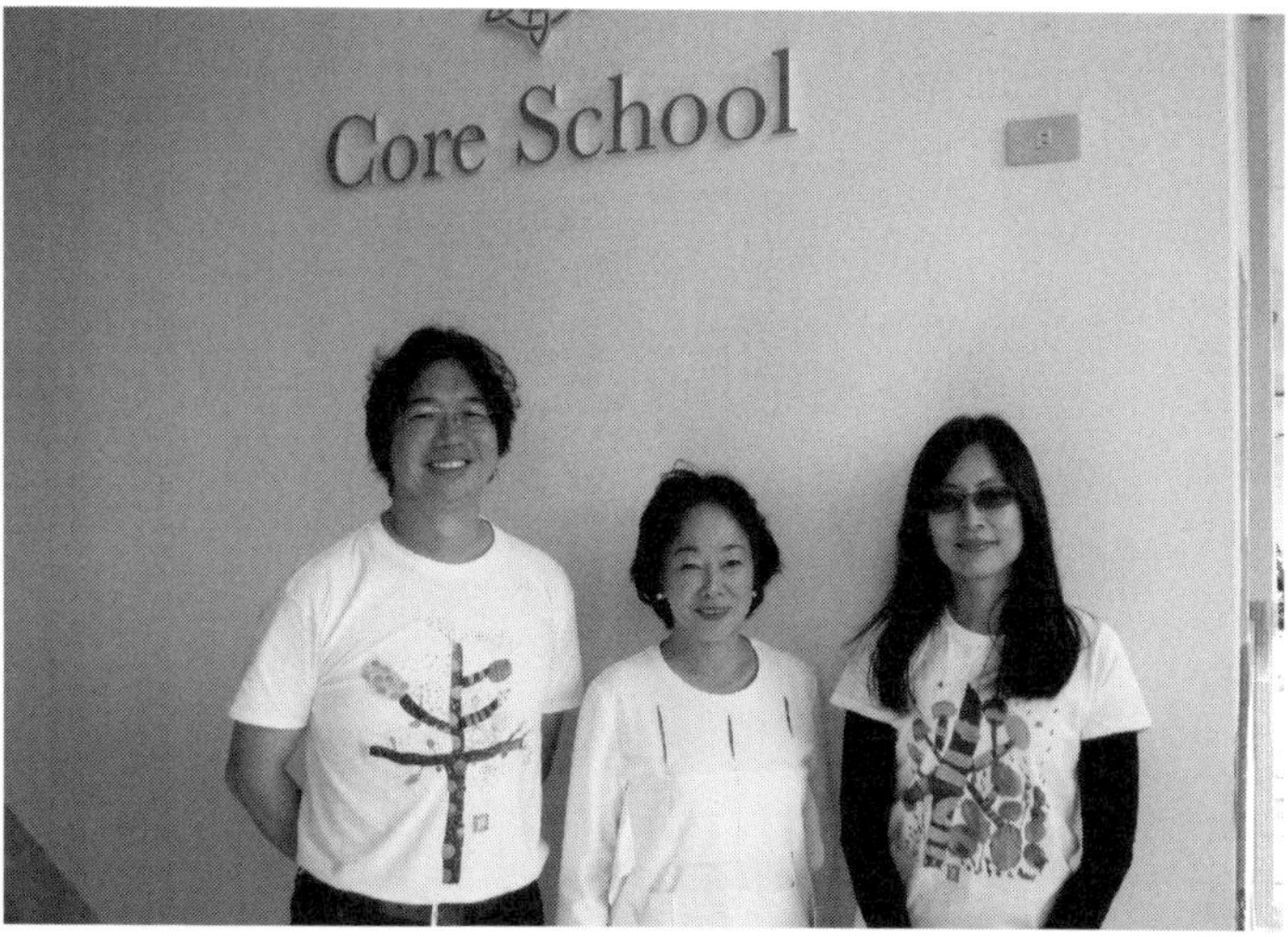

左がシー・ケー・ツェンさん、右がウェン・チェン・ワンさん

生徒たちによる歓迎のメッセージ

教室の前には日本と同じように黒板がありました。

そこには県ごとにバラバラに分けられる台湾の地図が貼られてありました。先生に聞くと、それをバラして、どこにその県があるのかパズルのように遊びながら楽しんで学べるようにしているとのことです。これも重要。ただ暗記するのではなく、右脳を使って楽しむというのがポイントです。

教室の横の壁には、雑貨や書籍、教科書などを入れていく棚があり、教科書や資料などの本はすべて英語で書かれてありました。

そして教室の後ろの壁には、昆虫の絵が何枚も飾られてありました。どれもカラフルなイラストが描かれ、脇にその昆虫の名前と簡単な説明が書かれてありました。

もちろんそこに書かれていた名前や説明はすべて英語です。さすがに徹底しています。

ひと通り教室の様子を見たわたしは、先生にさらに詳しいお話を伺うことにしました。

（問題解決の手法を学ぶデザイン・シンキング）

――こちらはどのような生徒を対象としている学校ですか？

Ｗａｎｇ　こちらは障害のある子もない子もすべての子供たちを対象にしています。こういうスタイルの学校は台湾内に他にもありますが、授業料が高かったりと制限があったりします。ですが、この学校ではそのような問題はありません。

――なるほど。それにしてもとても開放的な授業の様子ですよね。なんだか勉強というよりもみんなで遊んでいるようです。今、子供たちは模造紙やハサミを使って何かを作っているようですが、これはいったいどういった授業なのですか？

ＣＫ　これは、高いところから下にいる人に何かを供給するチャレンジです。そのひとつとして今回は、クッキーの入ったコップをパラシュートで落として、下の人に届けるというシステムを作ってみましょう、というチャレンジです。

――なるほど。だから、みんなでパラシュートを作っていたのですね。それにしても、男の子は大きい布を使っていたり、女の子は小さい紙で作っていたりと、パラシュートのスタイルがバラバラのように見受けられますが、それは何か意図があってのことでしょうか？

CK　ええ。このチャレンジはどうやって問題を解決していくのかが主題なので、どのような種類のパラシュートであろうと構いません。クッキーの入ったコップを下まで無事こぼさないように届けられるシステムを作るにはどうしたらいいのかを考えて、行動に移すことが目的だからです。

――単に正解であるパラシュートを作る（求める）のではなく、その過程で生み出される解決の仕方を学んでいく授業なんですね。

CK　その通りです。まず、子供たち一人ひとりがどのようなパラシュートなら出来るかを考えます。そこで、いくつかの問題点が出てきます。その問題点をふたりひと組のペアで考えて、話し合います。どうしたらうまく飛ぶのか、どうすればコップが回転しないで落とさないようにできるかなどの具体的な問題を挙げていきます。

一人ひとりが座る四角い机のない教室

◀ 生徒たちと触れ合う著者

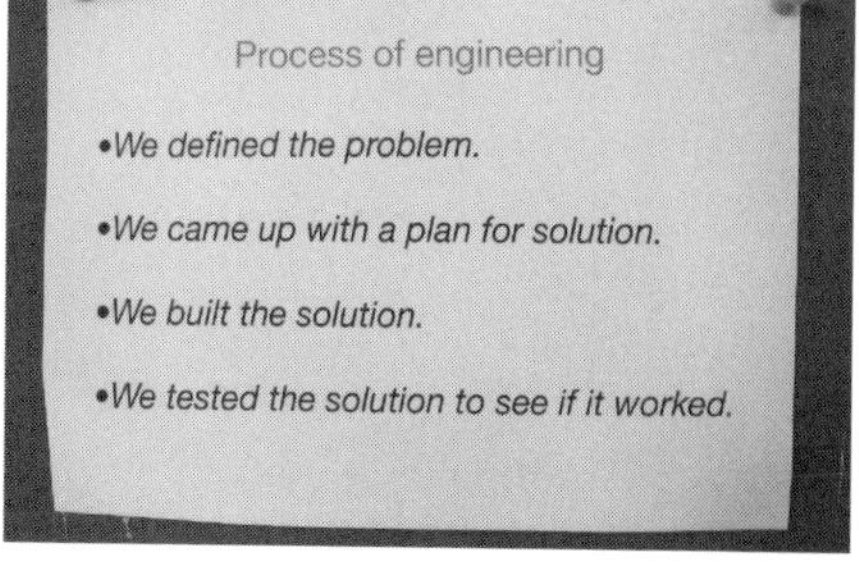
Process of engineering
•We defined the problem.
•We came up with a plan for solution.
•We built the solution.
•We tested the solution to see if it worked.

問題解決のプロセスを ▶ 示す標語

そして、そこで出た問題点をより重要度の高い方から順位づけしていきます。

順位づけができたら、それを今度はどうすれば解決できるかをふたりで考えて、実際にモノを作っていきます。手を動かしてパラシュートを作っていくわけです。

作ってみたらそれを実際に飛ばしてみて、落ちていく状態を観察します。そして教室に戻り、その観察結果をお互いに発表し合うのです。

パラシュートを飛ばしたときパラシュートはどういう状態になったか、パラシュートはゆっくり落ちていったがそれはこういう作用がパラシュートに起こったからだなど、落下する様子を見て、そこで感じたことや考えたことを、お互いに説明し合うのです。

そうすると、そこで突然吹いた風に大きな影響を受けたなど、だから影響を受けないように傘をもっと大きくしたらどうかなど、どうやってその問題を解決するかのアイデアをどんどんリストにして書いていきます。

さらに、そこでたくさん出てきたアイデアをそれぞれ線でつないだりしながら、新しいアイデアを生み出したり、元からあるアイデアを強化したりしながら、問題を解決していく手法を学んでいくのです。

――まさにデザイン・シンキングそのものですね。

CK　その通りです。答えを求めるのではなく、解決へ導く道筋を考えられるようにする教育です。

――台湾大学で行なっていたことをここでは小学生のうちから、しかもみんなとても楽しそうに学んでいるのですね。これこそわたしがずっと大事だと思っている、右脳と左脳をフル活用して学ぶことが大切だという、とても良い事例だと思います。ここで学んだことはビジネスをする上でもとても重要な考え方ですよね。

CK　ええ、そう思います。

――とても素晴らしい授業をされていると思いますが、学費はいくらぐらいするのですか？

Ｗａｎｇ　コストは、一学期で12万ニュー台湾ドル（約40万円）ほどです。1年に二学期あるので年間では約80万円ほどです。

――他のプライベートスクールよりも値段は抑えてあると思いますが、いかがですか？

Ｗａｎｇ　はい。他ではもっと高い金額を取っているところが普通にあります。わたしたちの学校はより多くの子供たちに来てもらいたいので値段を抑えています。

――こちらでは小学生のうちから英語でデザイン・シンキングを教えているとのことですが、こちらの学校のコンセプトと言いますか、他の学校とは違うポイントとは、どういったものなのでしょうか？

Ｗａｎｇ　わたしたちの学校では、ファイナンスとSTEAM《スチーム》のふたつを教えています。

――STEAMとはどういったものですか？

Wang　STEAMは、サイエンス（科学）、テクノロジー（技術）、エンジニアリング（工学）、アート（芸術）、マスマティックス（数学）の頭文字をとった名前で、これからのグローバル化する時代においてもっとも必要とされる知識だとされている分野をいっぺんに学ぶことができる新たな学習方法です。

わたしたちの授業にはこれらの要素がすべて含まれています。今この教室で行なっているパラシュートの授業もそうですが、物事を科学的に捉えたり、それをテクノロジーやマスマティックス、エンジニアリングやアートを使って解決する方法を学ぶ授業がSTEAMなのです。

――アートとテクノロジーなんて、なんだかスティーブ・ジョブズのようですね。

Wang　ええ。まさに彼が行なっていたようなことです。テクノロジーにアートを持ち込んだり、またその逆もしかりといった感じです。

絵の先生に来てもらって絵を描くという授業も別にあるのですが、そのときみんなで描いたのがこちらです。

＊＊＊

そう言って、Ｗａｎｇさんはご自身が着ているＴシャツの胸を指さしました。

そこには、とても可愛らしい花のような何かがたくさん散らばっている、大きな樹木のような絵が描かれていました。

＊＊＊

——これはどんなテーマの絵なのですか？

Ｗａｎｇ　これはわたしの娘が描いたのですが、ドリームツリーと言われるようなものです。自分たちの心の中にあるこれまでの経験や好きなことや夢を大木になぞらえて描いています。ですので、生徒一人ひとりがそれぞれに独自の絵柄になっているんです。

——ドリームツリーですか！

＊＊＊

わたしはその言葉を聞いて、思わず声をあげてしまいました。

と言うのも、以前からドリームツリーの効用に興味を持っていたからです。

ドリームツリーとは、形のない心を目に見える絵に表現して、そこから自分が本当にやりたいことやなりたい自分を見つけてみるときに使うツールです。

これまでに楽しいなと思ったことや感動したことなど、自分が好きなことや興味のあることなどを最も深い自分の基本として、それを樹木の根っこや土壌に描きます。

そこで土を耕し、根をしっかり生《は》えさせたら、次に、自分が得意なことや長所、さらには樹木の成長に欠かせない栄養分として家族や周りの友達、応援してくれる人たちを描いていきます。

そして最後に、しっかりと栄養を吸って成長してきた結果、そこから広がる夢＝ドリームとして、ほうぼうに枝葉を広げながら、自分は本当はどんな夢を実現したいのか、どんな人間になりたいのかなどの本当の気持ちを発見していくのです。

子供たちは絵を描きながら次第に自発的に、どんな夢を叶えたいのか、その夢を叶えるためには今からどんなことをしていけばいいのかを考え始めるようになります。

ドリームツリーを描くことで、自分の内面の深いところへどんどん潜っていき、子供たちの心に自立心や自分の人生をいかに進めていくかといった前向きな考え方が身についていくのです。それがドリームツリーの効用と言われています。

子供たちの自主性を重んじ、大切に育んでいるコアスクールならではの授業だと思いました。

日本の授業で行なわれているように、ただ単に解答を求めるといった押し付けだけの授業ではなく、自発的に考えることを育ててもらえる授業なので、柔軟な頭で、周囲の人々と協調し合いながら問題を解決していくことができる人材となるのです。

さらに右脳と左脳を活発的に使い、楽しんで物事に当たることができればそれこそ鬼に金棒です。子供たちの夢や希望がそれぞれの絵にカラフルな花や樹木の絵となって詰まっていました。

それにしてもこちらは東京にある学校とは違い、常に自然に囲まれ、自然と接し、そこから多くのものを吸収しているように感じました。そのことを質問してみると……。

＊＊＊

Ｗａｎｇ　おっしゃる通りです。学ぶ環境はとても重要です。わたしたちはこの学校をどこに設立すれば良いかと考え、台北中をくまなく探しました。そして、このたくさんの美しい樹木や緑に囲まれた素晴らしい場所を見つけたのです。

――それはこの学校システムを作る上でとっても大事なことだと思います。机上でエコロジーについていくら学んだとしても、子供たちが実際に自然と触れ合わなければ、エコロジーを考えるような人間にはなりません。

子供たちが毎日、樹木や草花と触れ合い、自然に親しみを持つことで、人間と自然が有効な関係になるのです。

そのような過程を経てはじめて、エコロジーに本当の意味で関心や興味を持って行動できるような人間になると思うのです。

Wang　わたしもそう思います。自然と触れ合うことは、この地球で生きていく上でとても大切なことだと考えています。

＊　＊　＊

授業が進むにつれて、子供たちの移動も増えていきます。

パラシュートを作っては、何度も窓から落とし、下でそれを拾ってはまた戻って来ることを繰り返しています。

そして教室に戻ってきたら、またあれこれ話し合いながら、どこかを直したり、工夫したりして、またすぐに走って廊下へ行き、窓からパラシュートを飛ばします。

どの子も本当に楽しそうにしているのがとても印象的でした。

忘れてしまいそうになりますが、これも立派な授業なのです。

何も教室にずっとこもって、先生が話す内容を必死にノートを取りながら聞くだけが授業ではありません。

もちろん、知識を身につけることは大事です。

でもそれだけでは、今後を生き抜いていくことは難しいと思います。

ＡＩ技術やロボット技術がますます発展することで、単純にデータを探すことや、そのデータを解析することなどは簡単に機械がやってくれるからです。与えられた知識だけをひたすら頭に詰め込んでいるだけでは、人間はこの先、生き残っていけないように思います。

そうではなくて、自分がどんな状況に陥ろうと、問題点を自ら発見し、そこから自分の頭で考え、周囲の人々と言葉を交わして話し合い、みんなの知恵を生かして、問題解決の道を探っていける人材になることが必要なのです。

＊　＊　＊

――それにしても、子供たちにどのような教育を受けさせてあげたいかについては、親でしたらいろいろ考えると思うのですが、ただ考えるのと実際にそのアイデアを形にして学校を設立するのでは話が違います。

このような学校を実際に設立するのはとても難しいことだと思いますが、どういうところが難しかったですか？　またどれくらいの準備期間を経て設立されたのですか？

CK　自分の子供たちにどういった教育を受けさせたいかということについてはこれまでもずっと考えていました。その中で生まれてきたさまざまなアイデアを実現させようと考えてこの学校を設立したのですが、設立するために実際に準備した期間ということでしたら、それは2ヵ月間くらいです。

――たった2ヵ月間ですか？　あまりにも短くて驚きました。でも、なぜそこまでして実現されようと考えたのですか？　これまでにもある、どこかの学校に入れるということは考えなかったのですか？

CK　自分たちの子供のための教育はずっと考えていたのですが、その過程でもっと他の子供たちにもこのような教育を受けさせてあげたいと考えるようになったからです。

普通の学校には、STEAMできちんと教えてくれたり、ファイナンスについてしっかり教えたりするような授業がなかったり、または、一クラスに先生がひとりといったように、わたしたちが願う生徒への接し方をしているところや希望した種類の授業がある学校がなかったからです。

——そういえば先ほども、こちらの学校ではファイナンスを教えているのが特徴だとおっしゃっていましたが、小学生からファイナンスを教えているのですか？　それに先生の数も違うのですか？

CK　台湾ではファイナンスを小学校で教える先生がとても少ないんです。ですが、コアスクールではファイナンスについては小学1年生から教えていますし、一クラスにつき先生は2名体制で、細やかに生徒たちを見られるようにしています。

障害を持った生徒でも普通に学べる体制になっていることが、コアスクールの大きな特徴です。

――そんなに幼いときからファイナンスを学ぶなんて、とても興味深いですね。

Wang　こちらでは小学校の最初の段階からファイナンスを学びます。毎週月曜日に生徒たちをグループに分けて、その日のお昼ご飯をみんなで準備する授業を行なっています。

そこでは予算が決まっており、その予算の中から、毎回、どのような料理を作って食べようかを考え、それを実際に調理して、みんなで食べるという授業です。調理を通して予算管理などを学んでいます。

――それはとても良い授業ですね。みんなで楽しいお話をしながら、一緒にご飯を食べると、またいろいろなアイデアも浮かんでくると思いますしね。

Ｗａｎｇ　この授業を始めてからしばらくたちますが、みんなの予算管理能力や調理能力などはどんどん向上しています。

ＣＫ　わたしが着ているこのＴシャツをご覧ください。これは生徒たちが描いた絵をプリントしたものですが、ファイナンスの授業の一環として、このＴシャツもインターネットを通して販売しているんです。

――それもとても素敵な試みですね。自分たちが描いた絵の入ったＴシャツが売れて、実際にお金が自分たちの元へ入ってくれば、それは自分たちの力でお金を稼げたということになりますし、それが自分たちの自信にもなりますものね。

それに自分が描いた絵がＴシャツという形ですが、世界中に広まっていくというのもとても嬉しいことのように思います。

ＣＫ　そうなるととても楽しいのですが。

地球を持続可能な世界にするために

創設者であるおふたりのお話を聞き、さらに、大自然に囲まれたこの学校で、子供たちが目を輝かせながら工夫して何かを作っている様子や、歓声をあげて廊下や校庭を元気に駆け回っている様子を見て、わたしは以前取材したバリにあるグリーンスクールのことを思い出しました。

そこもこちらと同じように、独自の考えを持った大志ある方が自ら投資をして、大自然の中に自ら作り上げた学校でした。

そこでは、

「わたしたちが暮らすこの地球を持続可能な世界にするために学ぼうとする人たちのコミュニティを作る」

というミッションのもと、実際に校舎を竹などの自然素材を使って建てていたり、動物と触れ合う授業があったり、作物を栽培したりと、周囲に溢れる大自然と触れ合いながら、激動の今後を生き抜くすべを学ぶことができる学校でした。

もちろん、コアスクールで行なわれていたような課題を解決するための考え方もしっかり学べるシステムになっていましたが、そこで何よりも重要だったのが、子供たちが自然の恵みを実際に体感しながら、左脳と右脳を存分に使い切って、いろいろな年代の仲間たちと一緒になって楽しく学んでいるところでした。

そこかしこで絵を描いたり、音楽を奏でたり、物を作ったり、作物を研究したり……。ひとりであるいはチームで何かをしている生徒たちがいるかと思えば、お昼には大勢が集まって、校内に植えていた野菜などの食材を取ってきて一緒に調理し、みんなで食事をしたりするなど、自然と人間が無理なくつながっているような、とても豊かなコミュニケーションがそこにはあったのです。それはまさしくこのコアスクールでも感じたものでした。

今や日本の小学生から大学生まで、みんなが左脳で記憶するばかりの教育を受けてきた結果、ほとんどの若者が、右脳を使って自らの頭で楽しく考えることが出来なくなっているような印象を受けます。学ぶことの楽しさや感動は、どこかに置き忘れてしまったようです。

これからの時代は左脳だけを使っていたのでは生き残れません。

右脳を使って楽しく自由に闊達《かったつ》に想像力を駆使して、自分の頭で考えて、物事を解決していける人材にならないといけないのです。

その点でも、コアスクールやグリーンスクールといった、こういうコンセプトの学校こそが、今の日本の子供たちには真に必要な学校だとわたしは思いました。

とはいえ、いきなり設立するのは難しいでしょうから、たとえば、春休みや夏休みといった休みの期間に、2週間ほどこちらに遠征学習する仕組みを作ればよいのです。日本から離れて英語だけしか話せない環境で皆と一緒に集中して学び、大胆に遊ぶことで、ずいぶんと頭が柔らかくなり、左脳と右脳を存分に活用できる人間になるのではないかと思います。

右脳を活用することで笑顔もたくさん生まれますし、笑顔が笑顔を呼び、そこには明るくて開放的な新たなコミュニケーションがきっと生まれます。

さらには英語の発音も上達しますし、大自然に毎日触れ合えるので心の健康にも良い影響をもたらします。

これからの日本を明るくエネルギッシュにしていくためには、日本の子供たちにこういう教育を施すのがいちばん効果的で有効だと思いますが、いかがでしょうか。

第5章

逆転発想で目覚めよニッポン

なぜ日本は疲弊してゆくのか

明日を夢見て、日本全体が好景気に沸いた高度経済成長の時代がバブルの崩壊によって終わりを告げると、日本はそのまま長い低迷の時代に突入しました。

その国の豊かさを示す経済指標の一つである名目GDPの値も、この20年近く、日本以外の主要国では上昇カーブを描いているにもかかわらず、日本だけが低空飛行を続けたままです。

働けど働けど豊かにならず、良い将来を描けない。

そんな暗澹《あんたん》たる雰囲気が日本の社会全体を覆っているように感じている人も多いのではないでしょうか。

バブル崩壊までは、新しい付加価値を生み出そうと必死になって働き、そこで生み出した製品を世界中に輸出して稼ぎ、日本の価値を高め、そこで勝ち取ったお金で豊かになってきた日本。

しかし、それがあっという間になくなると、多くの人は将来が見えなくなってきた不安から、財布のひもをかたく締め、景気はどんどん悪化していきました。

企業は新規採用を縮小し、政府は非正規雇用への転向をどんどん促していきました。

その頃に学校を卒業する年代に差し掛かっていた若者たちの中には就職したくてもできず、不本意ながら非正規で雇用され、社会人になった人も大勢いました。

あれから20年経った今、このときの非正規社員の人々がとても大きな社会問題になっていることなど、当時は想像する余裕もなかったことでしょう。倒産なんてするはずがないと言われていた大企業でさえ、バタバタと倒産してしまうような時代だったのですから。

そんな長く苦しかった平成も終わり、新たな元号である「令和」の時代がいよいよ始まりました。菅官房長官が額縁に入ったあの二文字を掲げたとき、画面の前でこう願っていた人も多いのではないかと思います。

――新たに始まる令和時代が明るく幸せに、そして豊かになりますように……。

もちろんそうなってくれることを願うばかりですが、このように願う人が大勢いるということは、裏を返せば今の日本が、その逆の状態にあるということを如実に表しているのです。

日本がとても暗くて元気のない国になってしまっている——もっと言えば、じつは貧しい状態にまで陥ってしまっているのではないか——そう考えている人も大勢いるのではないでしょうか。

そのような暗澹たる日本の現実を変え、より幸せな暮らしを手にいれるために、わたしたちはいったい何をしていけばよいのか。

そのヒントを台湾のみなさんから教えてもらったような気がします。

台湾に教えられた「一生懸命に頑張る心」

そのひとつにまず挙げられるのは、当たり前のことですが、「一生懸命に頑張る」という基本的な気持ちの大切さでした。

今回取材をしたオートバイの修理会社を経営している陳さんも、日本へ留学をしている陳さんの息子さんも、ＩＴ企業を経営している若き経営者のセガさんも、みなさん口を揃えて言っていたのが、

「一生懸命に頑張ることが大事だ」

ということでした。

陳さんのような親の世代は、貧しい子供時代を経験していることから、もっと幸せになりたい、そのためには社会に出たらとにかく一生懸命に働くことが大事だと考え、その考えのもと、がむしゃらに働いてきました。

暮らしに余裕がなく、生き残ることで精一杯だったこともあるでしょうが、それでも愚痴や不平不満を言わずに、地道に一歩一歩階段を登るようにして努力を重ねてきたからこそ今の暮らしを手に入れられたのだと自負する陳さんの顔は、自信に満ち溢れたものでした。

大企業ではありませんが、小さくとも一国一城の主として、街中で何十年も市民の移動手段であるオートバイを修理し続けることで生き抜き、家族を養ってこられたその力強さは、ちょっとやそっとの困難ではビクともしないほどたくましいものだと思います。

しかも、そんな彼のような百戦錬磨の独立自営の個人商店のオヤジたちが台湾には数多くいるのです。エリートではありませんが、泥臭く真面目に仕事をキッチリとこなす彼らのような存在が、台湾の経済成長を縁の下からしっかりと支えていることはもはや疑う余地はないでしょう。

また、彼らの子供世代も彼ら親世代と同様に、一生懸命に頑張るという真摯《しんし》な気持ちを持ち、自分の人生と向き合っていました。

台湾一のエリート大学を卒業し、仲間たちと起業したセガさんもそうです。今をときめくスタンフォード大学を卒業し、AIという最先端領域で活躍する彼の姿は現在の台湾におけるエリート像そのものと言っても過言ではないでしょう。

ともすればそのようなエリートは人生において苦労を知らずに育つ場合が多く、周りの人間に対しての優しさなどを持ち合わせず、自己中心的な人間となることもしばしばですが、感心したことに、彼にはそのようなところがまったくありませんでした。

会社の経営が危機に陥り、体を壊したこともあるとのことでしたが、それでも常に、自分の人生において大事なものを手にいれるために、わき目も振らず、しっかりと一生懸命に頑張ってきた。そのおかげで、会社も大きくなり、良き仲間にも恵まれ、いろいろな挑戦ができているると、しっかりとした目で話してくれたセガさん。

陳さんにしても、セガさんにしても、これは当たり前のことですが、自分が生きる道を決めたら、そこにしっかりと腰を据えて、時間をかけて地道に一生懸命に頑張っていました。そして、それをどんな困難があろうとずっと続けていました。

わたしは世代を超えたふたりが自信を持って語る姿に思わず感動してしまいました。陳さんの世代のように貧しさを知る親の世代でこのような考えを持ち、行動することは比較的あることだとわたしは思います。それは日本でも同じです。かつての日本でも、貧しかった時代を経験している世代のみなさんは、明日の幸せを夢見て、地道に一生懸命に頑張って、生き抜いてきました。

若い世代に受け継がれた大切な考え方

しかし、台湾で驚いたのが、その下の世代でもその考えが根付いていたことです。しかもエリートと言われるような若く優秀な人たちでさえも同じような考えを持ち、実際に実践していたことでした。

わたしはつい、日本のことを考えてしまいました。

最近は様々なスタートアップが現れ、社会の課題解決を目指して一生懸命に働いている若い人も大勢いるかと思いますが、少し前までは、一生懸命にがむしゃらに働くことはカッコ悪いことだという風潮がありました。汗水垂らして何かを行なうことがダサいという世間の意見がまかり通っていた時代です。

このような風潮はバブル期に広まったのだと考えています。

祖父や親たちの世代が貧しい中から必死になって富を生み出してきた結果、日本経済は成長し、やがてバブルが生まれ、その浮《うわ》ついたバブルの頃に青少年の時期を迎えるようになってしまった我が子に対して、親たちは、甘くなりすぎてしまったということでしょうか。

お金がお金を生み出し、右から左に濡れ手で粟のやり方でお金を生み出すような暮しを体験した人々は誰もが極端に清潔になり、余裕を持ち、汗水垂らして頑張ることに対して、恥ずかしさのようなものを持ってしまったのかもしれません。

そんな親たちを横目に見ながら、子供たちは子供たちで、何から何まで親がやってくれるわけですから、必死に生きなくても十分余裕を持って生きていける、そう思ってしまうのも無理はありません。何も苦労せずにぬくぬくと育ち、むしろ必死になる方が恥ずかしいという気持ちが醸成するような時代に大きく影響を受けてしまったのでしょう。

しかし、人生を形作る大事な期間である子供時代に「一生懸命に働くことが大事」だというとても大切な価値観を持つことができなかった悲劇は、今になって日本を襲っているような気がします。

そんな日本とは違い、台湾では幸運にもバブルは起こらなかったために、台湾の人たちは親たちの世代から子供たちの世代へと、この大切な考えをきちんと受け継いでいくことができたのではないか。そのためにこうして今も荒波に飲み込まれずにしっかりと成長を続けることができているのではないか。そう考えたのです。

日本がもう一度輝くために、日本人は今こそこの、

「一生懸命に頑張って働く」

という考えをしっかりと身につけ直し、実践しなければならないと、そう思いました。

そしてもう一つ、何よりも笑顔で楽しいことを見つけ、家族、友人と積極的に生きることを日々楽しむことでしょう。日本人は真面目なので、笑っているとレベルが低い、不真面目だと悪くとる傾向すらあります。

「徳」――お金儲けよりも大事なこと

一生懸命に頑張って働くことが大事だという台湾の人々の話にはとても感銘を受けま

した。

しかしその一方、わたしは彼らの話を聞きながら、心のどこかで、

「いや、それだけではないはずだ。まだ何かが足りない」

そんな物足りなさもまた感じていました。

この物足りない感じはなんだろう……そう考えながら話を聞いていたわたしに、ふたりは思わずこちらがハッとするような言葉を放ちました。驚いたことに、世代も仕事も違うふたりが語ってくれた言葉はほとんど同じでした。

それは何かと言うと、

「お金ももちろん大事だが、それ以上に大事なものがある」

という言葉でした。

そうです。お金よりも大事なものがあると彼らは確かに言ったのです。

わたしは思わず身を乗り出すように聞き返しました。

それはいったいどのようなものなのか――と。

すると彼らはとても大切なものを思い出すようにしながら、

「それは家族であり、親であり、故郷であり、祖先です」

と答えてくれました。

わたしはこれを聞いたとき、まさにこれこそが、日本より台湾の方が力強く生き抜いていると感じる理由そのものではないかと思いました。さっきまで胸の中で感じていた物足りなさの正体は、じつはこれだったのです。

一生懸命に頑張って働くことはもちろん大事です。最初にそれがなければ何も始まりません。ですが、それが自分自身だけに向けられたものだとしたら、それはそこまでの力強さをもたらすものでしょうか。わたしには甚《はなは》だ疑問です。

自分だけのため、お金だけのために一生懸命に頑張るのではなく、今の自分を形作ってくれた親や祖先、ひいては皆が暮らしている故郷に感謝し、そのお金より大事なもののために一生懸命に頑張るという考え方――。

これはまさに「徳」という言葉で表されるものです。

そしてこの「徳」という考え方に、わたしはどうにも親近感が湧いていたのです。なぜかと言いますと、かつての日本にはそのような考えを持って行動していた先人たちが大勢いたからです。徳を積むことが正しい行ないだと信じて行動していた日本人のことをつい思い出してしまうからなのです。勤勉で実直、自分のことは差し置いて、世のため人のために骨身を惜しんでこの世界を良くしようとしていた日本人の姿が、なぜか彼らに重なって見えてくるのです。

なぜ台湾の人々の中に、古き良き日本の先人たちの姿が見えるのでしょうか。

その答えは、かつての台湾と日本との関係性の中に見出すことができました。

〔台湾の人びとの中に見え隠れする日本精神〕

1895（明治28）年、日清戦争の終結に伴い、下関条約によって台湾が清国から日本に割譲されてから、太平洋戦争が終結する1945（昭和20）年までの50年間、台湾は日本の統治下に置かれていました。

当時の植民地といえば、支配している宗主国から搾取《さくしゅ》されるのが通例です。

例えば植民地の人々は人間扱いをされない、奴隷として働かされる、教育も受けさせてもらえない、貴重な天然資源を無理やり奪われるなど、搾取をされるような支配体制が当たり前となっていました。

台湾の人々も、日本からそのような略奪行為が行なわれるだろうと思っていました。

当時の国際社会ではそれが当たり前だったからです。

しかし、蓋《ふた》を開けてみると、台湾を統治した日本は、そのやり方をしませんでした。なんと、自国と同じように、もしくは一部ではそれ以上に、台湾の体制や生活を整備することに力を入れてきたのです。

当時の台湾は、支配していた清国からでさえ、「四害（アヘン、土匪《どひ》、原住民、風土病）」があるので統治は不可能だと言われていたほど、近代的な都市からはほど遠い島でした。

そんな台湾を大きく変えたと言われている代表的な人物が、第４代台湾総督である児玉源太郎の右腕として民政長官に就いた後藤新平です。

台湾にいきなり日本のスタイルを押し付けるやり方ではうまく統治できないと考えた後藤は、まずは徹底的に現地調査を行ない、土地はどんな状態か、人口はどれくらいか、何を現地の人は必要としているのか、どんなことに困っているのかなどを調べ上げたうえで、それらの問題に対処していきながら、様々な制度や技術を導入していくようにしました。

全島に道路や鉄道を敷き、大規模なダムや港湾を建設するなど、インフラ設備を整え、電気を通し、国の発展の基礎となる産業を起こしていきました。

また上下水道を整備し、衛生環境と医療環境を大々的に改善することで、蔓延していたマラリアなどの伝染病を劇的に減少させました。さらには学校教育にも力を入れ、就学率が9割近くになるほど学力の底上げを果たし、台湾の近代化を推し進めたのです。

これが、後藤新平が「台湾近代化の父」とも言われている所以《ゆえん》です。

もちろん、台湾の近代化に腐心したのは後藤だけではありません。

嘉南《かなん》平原の農業灌漑《かんがい》を主な目的として建設された烏山頭《うさんとう》ダム、その建設を主導した八《はっ》田與一《たよいち》は台湾の教科書にも載り、現地に記念館があるほど台湾の人々から今も愛される存在となっていますし、東洋一の水力発電所として台湾全島に電力を供給した日月潭《にちげったん》にある日月潭第一発電所建設に一心に取り組んだのも、今や「台湾電力の父」として尊敬の念を集め、銅像にもなっているほどの松木幹一郎《まつきかんいちろう》です。

また、台湾の発展には教育が最も必要だと、台湾に骨を埋める覚悟で芝山巖学堂《しざんがんがくどう》という小学校を設立し、現地の子供たちに熱心に教鞭をふるっていた六氏先生（6人の日本人教師）や、食糧不足を解決するために悲願であった現地米の品種改良に生涯を捧げた末永仁《すえながめぐむ》と磯栄吉《いそえいきち》など、他にも挙げればキリがないほどの日本人が人生を懸けて台湾に赴き、様々な艱難辛苦《かんなんしんく》を乗り越えながら骨身を惜しまず、台湾の近代化へ向けて、尽力しました。

そこには、宗主国として日本の利益だけを追い求めるといった私利私欲に満ちた醜い姿はなく、台湾の将来のため、台湾で暮らす人々の未来のため、という大義のために尽力するという考え方を持った、人として尊敬すべき姿がありました。

これにより台湾は、統治をされていたにもかかわらず、近代都市へと変貌を遂げることができ、人々の暮らしも豊かになったと言われているのです。

そしてこの精神こそが、台湾の人たちが驚きを持って知ることになった、

「日本精神」

であり、いまだに台湾の人々の心の中に

日本統治時代の都市計画で台北市内に造られた三線道路の記念碑の前で

脈々と受け継がれている考え方なのです。

日本が統治をしていたという事実だけを捉えると、宗主国と植民地という、支配する
――される、という関係性しか見えてきません。

しかしじつはその裏に、台湾発展の礎《いしずえ》を築こうと努力していた日本の先人たちによる必死の努力があり、その利他の行動に感謝をした台湾の人々が大勢いるという現実がにわかに横たわっていたのです。

それでも台湾の若い世代の人たちの中には、このことについてほとんど知らないという人も大勢います。

それは仕方がありません。日本が去った後に入った国民党政府から見える景色はまた違うものがあったからです。彼らがその後に行なった教育では、日本が行なった良い点については、こちらが考えるほどには重要視しなかったということです。

しかし、実際に当時を知る台湾の人々の中には、今でも親日家であるという人が大勢います。わたしはその事実にこそ真実があると思っています。

実際に良い思いをした人たちは、日本が行なった本当のことについてちゃんとわかっているからです。

とはいえ、それが若い世代の人たちにまで受け継がれているとは、今回台湾を旅するまで正直夢にも思っていませんでした。もちろん台湾のすべての若者たちにこの日本精神が受け継がれているとは思っていません。

ですが、取材をした彼らのように、自分のためだけではなく、親のため、故郷のために頑張るというその精神は、まさにかつて日本の先人たちが台湾のためにと思って必死に頑張った日本精神そのものではないか。わたしにはそう思えてならないのです。

本人たちはそうは思っていないかもしれませんが、日本の先人たちの素晴らしい思想や行動が、このような形で現代の台湾に残っているということが、わたしにとっては本当に素晴らしいことだと思いましたし、ことの外、深い感動を覚えたのです。

日本人が忘れてしまった「徳を積むこと」

一方、日本はどうでしょう。

戦後、わたしたちは個人主義という名のもとに、これらの大事な正しい考え方や昔からの大切な言い伝えをすべて忘れ去ってしまいました。

学校教育でもこれらのことを教わってこなかったのです。すべては個人主義で、自分が努力をすればうまくいくという価値観で育てられてきてしまったのです。

その結果、日本はどうなったでしょうか。

人口が減少していき、地方はますます疲弊し、人々は少なくなっていくパイを奪い合って殺伐《さつばつ》とし、日々の暮らしも余裕がなく、ギスギスした社会になってしまいました。

これが、かつて先人たちが求めてきた幸せな日本のあり方と言えるでしょうか。

わたしは間違いなく言えないと思います。

日本はこの間違いに早く気づき、しっかりと直すべきです。そしてその間違いを正す考え方がまさに台湾にありました。

それが、

「一生懸命に頑張って働くこと」

その上で、

「お金よりも大事なものがあるという価値観を持って行動すること」

つまり、

「徳を積むこと」

なのです。

明るい日本をもう一度作りあげるためにわたしたちは、今こそ、この「徳を積む」ということを実践するしかないと思っています。

角度を変えて物事を見る大事さ

地政学上から見ても、ビジネスのやり方を見ていても、台湾は長年、周囲を細やかに観察しながら上手にバランスを取って生き残ってきました。

それを実現してきたのは、海千山千を乗り越えた力強い地元の個人商店の人たちや独立して会社を大きくした経営者たちをはじめ、日々を一生懸命に働いてきた台湾の人たちの努力の賜物《たまもの》ですが、彼らを見ていて、わたしはあることに気づきました。

それは、力強く生き残っていくためには真面目に働くことはもちろんですが、その上で、さらに粘り強く、色々な方向から物事を考え、したたかに生き抜くことがとても重要だということです。

彼らは厳しい政治状況が続いているなか、どうすれば台湾が良くなるのか、どうすれば台湾で幸せに暮らしていけるのかについて、常に考えていました。

単に自分の人生のことだけではなく、台湾という大きなくくりについても、あらゆる方面から見つめ、その行く末を真剣に考えていたのです。

そこでは、違う視点で考えるということがとても大切なことだと語られていました。台湾大学で取り入れられていたデザイン・シンキングなどがまさにそうです。課題を解決するためにあらゆる角度から問題について考えてみる。そうすることで、これまでになかった解決法が浮かんでくるのではないか。常にそう考えて物事に取り組むようにしていたのです。

これはわたしたち日本人がまさに取り入れなければならない考え方なのではないでしょうか。

一方向だけから見るのではなく、必ず見る方向を変えてみる。表から見て考え終わったら、今度は裏側に回ってその問題を眺めてみる。するとそこには、今まで見えてこなかった新しい景色が見えてくる。そこから考えの枝を伸ばし、さらに追求し、改善していく。

そうした逆転の発想こそが今の日本には必要だと思うのです。

〈逆転の発想で日本を捉える〉

多くの日本人にとって今の日本は人口がどんどん減り、高齢化も進み、様々なシステムが硬直化し、改善しようにもなかなか改善ができない――まるで過去に栄華を極めたが今はゆっくりと沈みゆく時代遅れの大型船――のように映っているのかもしれません。だからこそ世間は沈滞ムードが漂い、閉塞感であふれているのでしょう。

確かにそのような一面はあると思います。

しかし、他の一面はまったくないのでしょうか。

別の視点から見れば、また違った世界が見えてくるということはないのでしょうか。

例えば、日本は人口が減っており、それがとても悪いことだと言われていますが、これを逆に考えてみればどうでしょうか。

人口が減り、人手不足と言われている社会は、働きたいと思う人から見れば、高齢になっても働ける社会であり、誠実さと勤勉さを持っていれば元気なうちはいつでも働ける社会とも言えます。

働きたくてもこれまでは雇ってもらえなかった人にとっては、チャンスが増えた社会とも言えます。

また、日本人の人口が減っているというのなら、海外から優秀な人々を受け入れて人口を増やしてみてはいかがでしょうか。

こう考えるのも逆転の発想です。

受け入れるのが教育水準の高い人であれば、日本の良さをきちんと受け入れた上で日本を大切にしてくれるはずです。

そういう人たちが日本に暮らしてくれれば、日本が彼らの故郷になります。

そうなれば、彼らだって自分たちの故郷を傷つけるような行動は起こさないと思うのです。そのような人々が増えれば、それは人口の増加と同じことです。

「これはこうだ、こうだからこうだ」と既成概念ばかりにとらわれていては、大事な判断を見誤ってしまいます。

人口が減っているからすべて悪くなる。

そう一様に勝手に決めてつけてしまっては物事の本質を捉えることはできません。

物事を見るときは、必ずいろいろな側面から見る。これが大切です。

「それは本当にそうだろうか？」

と考える。

目の前に何かしらの課題が現れたとき、その課題は、

「本当に課題なのだろうか」

「課題としても解決できない課題なのだろうか」

そう考えてみる。

人口減少と高齢化は本当にまずいことなのだろうか、だからこそ良い面というものはないのだろうか、と考えてみる。そう考えるからこそ、新しい時代にふさわしい新たなアイデアが降りてくると思うのです。

（訪日客が急増している理由）

今、海外から大勢の観光客が日本に来ています。その数はかつてないほどです。

有名観光地だけでなく、日本にいるわたしたちでさえも行かないような場所へもどんどん訪れて楽しんでいます。この状況を見て単に、

「へえ、そうなんだ」

と思うだけではいかにももったないと思います。

そこからもう一歩進んで、

「なぜこんなに増えているのだろうか」

と考えてみる。

すると、今の日本は海外に比べて相対的に物価が安くなっているという一面が見えてきます。

言い換えれば、日本のパワーが弱まっているということでもありますが、だからこそ来やすくなったと捉えることもできるわけです。

しかも日本は噂にたがわず、財布を落としてもお金が入ったまま交番に届けられるほど親切な人が多いし、銃でいきなり撃たれるようなこともありません。

また、カバンを席取りに置いておいても盗られることもないし、若い女性が夜に繁華街を歩いていても安全な国です。しかも今は円安傾向にあり、自分たちの国と比べてとても安く滞在できます。

こんな素晴らしい国、世界中どこを探したって見当たりません。

だからこそ大勢の観光客がやって来ているのです。

この発想が大事なのです。

デフレで日本は安くなってしまったと悲観してばかりいては、その負の面ばかりを見つめているだけでは、わたしたちの前に新しい世界の扉は開いてくれません。

発想を逆転させるのです。悪いと思われている一面の裏側に隠れているチャンスを見つける柔軟な頭を持たなければならないのです。

では、かつてないほど海外からの観光客が訪れている今の日本において、何がチャンスだと言えるでしょうか。それは――。

「今こそ、日本の本当の素晴らしさをさらに多くの人々に伝えられる」

そうしたチャンスだということです。

世界にはまだまだ、日本について名前は聞いたことはあるくらいの人が大勢います。またはテレビや新聞のニュースでもう少し詳しくは知っているという人もいるでしょう。日本食が流行《はや》っていますから、寿司や天ぷらを食べたことはあるなんてくらいの人もいるかもしれません。

しかし、実際に日本まで来たことがあるという人はそれほど多くはないでしょう。たとえ来たくても、これまでは旅行費用が高くて来られなかったのです。

そんな人々に、本物の日本を知ってもらえたらどうなるでしょうか。

彼らはこれまで、間違った日本の情報を見て、本物ではない日本食を食べて、それで日本のことを知ったつもりになっていたかもしれません。

そのような人々が今は実際に日本に来ることができるようになったのです。日本が安くなったおかげで、本当の日本に触れることができるようになったのです。

そう考えるといかがでしょうか。

新たにやれることがどんどん頭に浮かんではきませんか。

彼らに、この安全で清潔で、親切心に満ち溢れた日本の本当の姿を伝えることができるチャンスだとは思えませんか。しかもかつてないほどのチャンスだと。

わたしは海外の方とは比較的多く接している方だと思いますが、彼らに会い、話を聞くたびに、そのほとんどが実際に日本に来てみてその良さに驚いたと言ってくれます。

もちろん情報としては知っていたが、実際に来てみると、それ以上に素晴らしかったと言ってくれるのです。

東京以外にも素晴らしい場所がたくさんあるし、豊かな自然と街が共生していて、とても美しい。さらにどこに行っても安全で、人々はとても親切にしてくれる。至るところに美味しい食べ物があり、四季も美しく、実際に来てみて、想像していた以上に楽しめる国で、とても好きになったと笑顔で話してくれるのです。

これは日本にとって、とても素晴らしいことだとは思いませんか。

実際の日本を楽しんでくれた人々は、日本に親しみを抱いてくれます。そして帰国してからも日本の良さを周囲に伝えてくれるのです。するとどうなるか。

——世界中に日本のファンが増えていく、のです。

ファンが増えれば増えるほど、日本と争うような事態は起こりにくくなると思います。

これは決して大げさなことではありません。だって考えてみてください。

誰だって、大好きな人とはできるだけ対立なんてしたくないと思うでしょう。

何か問題が起きたとき、かつて日本を旅したときの情景が頭に浮かぶわけです。

日本で暮らしたときに親切にしてくれた一人ひとりの顔が浮かぶはずなのです。

このような流れを作ることができるチャンスが今なのです。

今こそこの流れを丁寧に作り、世界の中での日本の立場や印象をさらに良いものへと押し上げていくことができるのです。

「日本は安くなってしまった」

「もはやかつての活気は消え失せてしまった」

そう悲観ばかりしていては、この事実に目を向けられません。

安くなったからこそ世界中からたくさんの人々が訪れ、その分、日本の良さが世界へどんどん広まっていくのです。

そんな風に、逆転の発想で考えることで、日本の状況もまた違ったように見えてくるというものです。

また、逆転の発想で物事を考えられるようになると、これまで思いつかなかったような新たなアイデアが閃《ひらめ》き、そこから新たなビジネスも生まれてきやすくなります。

せっかく日本の新たな側面に目を向けられるようになったのですから、それを少しでも自分たちの稼ぎに結びつけていくことも大切です。

ただ漫然とやり過ごしていてはあまりにももったいない。常に自分たちの暮らしを少しでも良くしていくことに結びつけるのです。

そこは誰がなんと言おうと、したたかに行動すべきです。

自分や自分の周囲の人を守り、皆の暮らしをより良くしていくことは、さらに大きな目標を成し遂げるためには必要不可欠なことです。

だからこそ、まずはその基本をきちんとできるように、したたかにやるのです。

台湾の人々もそうでした。

混沌とした世界情勢のなか、常に不安定な台湾は、いつ自分たちの平穏な暮らしがおびやかされるかわかりません。

だからこそ、いつでも周囲の状況をつぶさに観察し、時にはあちらの顔を立て、時にはこちらと握手をしてと、したたかに生き延びていました。

生真面目一辺倒ではなく、そのときどきの状況に応じて柔軟に対応する。

そんなタイプの強さもまた、日本人はもっと学ぶべきではないかと思っています。

（ヴィジョナリー・シンキングで日本をリブート）

このように現在の日本を、逆転の発想で見てみると、まだまだ多種多様なチャンスが転がっているように思えてきたのではないかと思います。

世界はどんどん変わっています。

しかもそのスピードはさらに速まり、これまでの常識が通じなくなることもさらに増えてくるでしょう。

その中でわたしたち日本人は台湾の人々に倣《なら》い、一生懸命に頑張って働き、徳を積んでいくことが必要不可欠だと思います。

その上で最後にもうひとつだけ、わたしから提案があります。

それは、

「右脳で考えて、すべてを楽しむようにしていきましょう」

「日々を楽しく暮らすように、明るく笑顔でいきましょう」

豊かで幸せな笑顔は想像力の源なのだと理解することは本当に大切なことです。人と話すのが大好きな人間になることも同じく大切なポイントです。

左脳は論理を司り、右脳は感覚的に物事を捉えるときに使われます。

日本ではこれまで、答えを覚えたりする教育の結果、左脳ばかりを使うような人間が増えてしまいました。

しかし左脳だけで考えていては、これまでの延長線上にあるような解決方法しか思い浮かびません。

いろいろな角度から考え、発想を逆転させて、今までに見たこともないような新しい方法を見つけ出すには、直感やイメージで物事を捉えていく右脳をフル活用することがとても大事になってきます。

日々の暮らしの中で立ち現れる様々な課題に対して常に、

「わたしならどうする？」

「もっと良くするにはどうすればいい？」

「お金がなかったら、どう工夫すれば乗り越えられる？」

「どうすれば自分たちは幸せになれる？」

と、すべてを楽しんで考えるクセをつけてください。年下の人々の意見、子供の意見にも耳を傾ける習慣も大事です。

この右脳で考えることこそがいわゆる、

「ヴィジョナリー・シンキング」

であり、これからの未来を生き抜く大きな力となるものです。

現在、日本では政府が英語教育に力を入れ始め、バカロニア教育（世界共通の大学入学資格及び成績証明書を与えるプログラム）も大切だと言われ、富裕層の家庭では幼児のうちからインターナショナルスクールに入れるための準備や、母親との母子留学が流行《はや》り始めています。

しかし、日本昔話の中心にある日本人への情と忠誠心、お年寄りを敬い、夫婦仲むつまじく生きる……。そんな伝言や日本人のアイデンティティと誇りを幼児期に学ばなかった子供たちには、日本人として尊敬され、相手を惹きつけたり、この人と一生付き合いたいという魅力はまず得られないと思います。

そのことを私は、楽天的な日本人の未来への、たった一つの忠告として付け加えたいです。

現代のように誰もが不安を覚える時代にこそ、まずは落ち着いて考えを重ね、自分たちの幸せというものはどんなものか、そのイメージをしっかりと思い描いてください。

その上で、右脳をフルに使って、次々に現れる人生の課題に楽しんで立ち向かってください。

楽しんでやることは、みなさんが考えている以上に大事なことです。

その鍵を握るのが右脳です。

みなさんの暮らしがこのヴィジョナリー・シンキングによって素晴らしいものとなることを祈っております。

日本はまだまだ元気になれます。そして古いエリートはとてもこれからの時代には生き辛く、新しい信頼と笑顔のあふれたエリートが待ち望まれる時代が来たと言えるかもしれません。

あきらめずにもっともっと奮闘努力していきましょう。

そして、
明るくハングリー精神を持って、人生を楽しんで工夫していきましょう！


（了）

参考文献一覧

【はじめに】

＊平成29年度国民生活基礎調査の概況（厚生労働省政策統括官付参事官付世帯統計室）
https://www.mhlw.go.jp/toukei/saikin/hw/k-tyosa/k-tyosa17/dl/10.pdf

【第1章】

＊平成29年分民間給与実態統計調査　調査結果報告（国税庁）
https://www.nta.go.jp/information/release/kokuzeicho/2018/minkan/index.htm

＊中華民國臺灣地區國民所得統計摘要（行政院主計處）
https://ebook.dgbas.gov.tw/public/Data/352913302353.pdf

＊Earnings Statistics in November 2018(National statistics)
https://eng.stat.gov.tw/public/Attachment/91101132355LG6L25T.pdf

＊『近代台湾の経済社会の変遷―日本とのかかわりをめぐって』（著：馬場毅・許雪姫・謝国興・黄英哲、東方書店。ISBN978-4-497-21313-6）

＊台湾の経済成長グラフ、産業分野の変遷（アジア経済研究所地域研究第一部研究員　佐藤幸人）
https://www.mof.go.jp/pri/research/conference/zk051/zk051k.pdf

＊「5＋2」イノベーション政策、及び「将来を見据えたインフラ計画」に関連した産業分野における日台ビジネス協力の可能性調査（公益財団法人日本台湾交流協会平成29年度委託調査）
https://www.koryu.or.jp/Portals/0/keizai/2017chosa/H29FYchosashosai.pdf

【第2章】
＊GLOBAL ENTREPRENEURSHIP INDEX 2018（THE GLOBAL ENTREPRENEURSHIP AND DEVELOPMENT INSTITUE)
https://thegedi.org/
【第3章】
＊国際経営開発研究所（ＩＭＤ）が２０１８年に発表した「世界競争力ランキング」
https://www.imd.org/wcc/world-competitiveness-center-rankings/world-competitiveness-ranking-2018/
【第5章】
＊『古写真が語る台湾　日本統治時代の50年』（著：片倉佳史、祥伝社。ISBN978-4-396-61525-3）
＊『新装版　台湾人と日本精神』（著：蔡焜燦、小学館。ISBN978-4-09-379872-3）

◉著者について

菅原明子（すがはら あきこ）

菅原研究所所長・保険学博士。東京大学医学部疫学教室にて博士課程修了。アジア・ヨーロッパ・アフリカ・アメリカなど世界各国を訪問し、食生態学の調査研究を続けてきた。1983年エッソ女性科学者奨励賞受賞。1984年、「菅原研究所」を設立。人間のための食環境づくりを西洋医学、東洋医学両面から調査研究している。日本健康医学会評議委員、女性科学者健康会議（ＷＳＦ）代表として毎年、奈良・薬師寺で女性イベント主催。食育、健康教育の分野、そして空気環境科学の第一人者として研究・執筆・講演活動などに精力的な活動を繰り広げている。主な著作に『マイナスイオンの秘密』『快適！マイナスイオン生活のすすめ』（いずれもＰＨＰ研究所）、『食品成分表』（池田書店）、『ウイルスの時代がやってくる』（第二海援隊）、『白米が体をダメにする！』（現代書林）、『天然素材住宅で暮らそう！』『グリーンエネルギーとエコロジーで人と町を元気にする方法』『インドネシアが日本の未来を創る』『マハティール・チルドレンの国マレーシア』（いずれも成甲書房）など多数。

菅原研究所公式ホームページ
http://www.suga.gr.jp/

しぶとく生《い》き残《のこ》る台湾《たいわん》

企業《きぎょう》・教育《きょういく》・家庭《かてい》——
日本《にっぽん》が目覚《めざ》めるための逆転《ぎゃくてん》発想《はっそう》

●著者
菅原明子《すがはらあきこ》

●発行日
初版第1刷　2020年1月11日

●発行者
田中亮介

●発行所
株式会社 成甲書房

郵便番号101-0051
東京都千代田区神田神保町1-42
振替00160-9-85784
電話 03(3295)1687
E-MAIL　mail@seikoshobo.co.jp
URL　http://www.seikoshobo.co.jp

●印刷・製本
株式会社 シナノ

©Akiko Sugahara
Printed in Japan, 2020
ISBN978-4-88086-369-6

定価は定価カードに、
本体価はカバーに表示してあります。
乱丁・落丁がございましたら、
お手数ですが小社までお送りください。
送料小社負担にてお取り替えいたします。

グリーンエネルギーとエコロジーで

人と町を元気にする方法

菅原明子

様々な形でエコという言葉が飛び交う現代、それでは、エコの中身とは一体何なのか？ グリーンエネルギーの未来は？ ——〝小さな国ほど大きなエコが行える〟その言葉を実証している国オーストリアに、それらの問いへの確かな答えがありました。私たち日本人はこれからどうエコに取り組んでいけばいいのか、理想のエコ社会を求めて、著者・菅原明子氏がエコ先進国オーストリアを訪ねます————————————————日本図書館協会選定図書

四六判◉定価：本体1400円（税別）

◉

ご注文は書店へ、直接小社Webでも承り

異色ノンフィクションの成甲書房

インドネシアが日本の未来を創る

そして日本がインドネシアの未来を創る

菅原明子

エコと高度成長、両輪で大発展させる方法が見つかった！現地取材で見つけた高度成長とエコロジーを両立させようとしているインドネシアの現実。（著者のことば）――日本が最も注目すべき国はインドネシア、それは国際ビジネスに関わる企業の中では常識ですが、インドネシアの実際に関して日本人はあまりにも知らなすぎるのではないかと思います。日本が直面する少子化、超高齢化、ＧＤＰの低迷や介護・年金問題など、人口減少に伴う問題を解決していくために〝最も大事な国〟はどこかと考えると、インドネシアという国の存在についてしっかり理解することが重要で、両国がお互いにサポートし合うことが正しい方向性です。だからこそ、まずはインドネシアを理解することが重要なのです

――――日本図書館協会選定図書

四六判◉定価：本体1400円（税別）

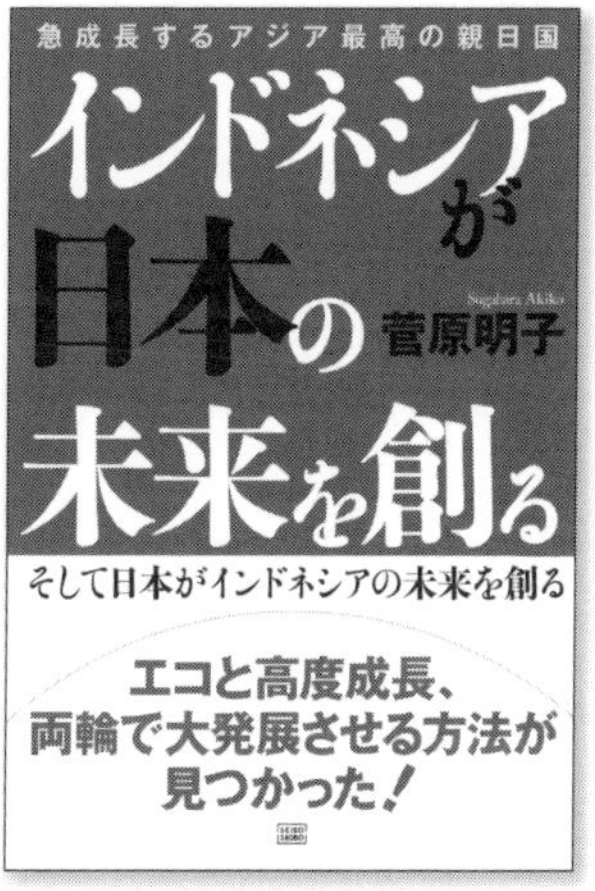

◉

ご注文は書店へ、直接小社Webでも承り

異色ノンフィクションの成甲書房

マハティール・チルドレンの国
マレーシア

菅原明子

経済成長が著しく活気あふれるマレーシアを「仕事」「生活」「教育」「文化」の四つの視点から見つめます。マレーシア起業や不動産投資を目的に移住した日本人たち、一般的なマレーシア人家庭、一流大学の学長やそこに通う学生たち、事業で成功をおさめたマレーシアの実業家など、それぞれの人や現場を訪問しつつ、インタビューを織り交ぜながら、マレーシアへの理解を深めていきます。果たしてマレーシアの豊かさや成長の背景には、どのような秘密があるのでしょうか？――――――――――――――――――――好評既刊

四六判◉定価：本体1400円（税別）

◉
ご注文は書店へ、直接小社Webでも承り
異色ノンフィクションの成甲書房

第三章◉暴露されたグローバルエリートの「小児性愛嗜好《ペドフィリア》」

第二章◉全米が熱狂する「秘密宇宙プログラム」

序章 ◉ 資本主義の「グレート・リセット」とQアノンの登場

第一章 ◉ Qアノン現象と「大覚醒」運動

Qアノン 陰謀の存在証明 ◉ もくじ

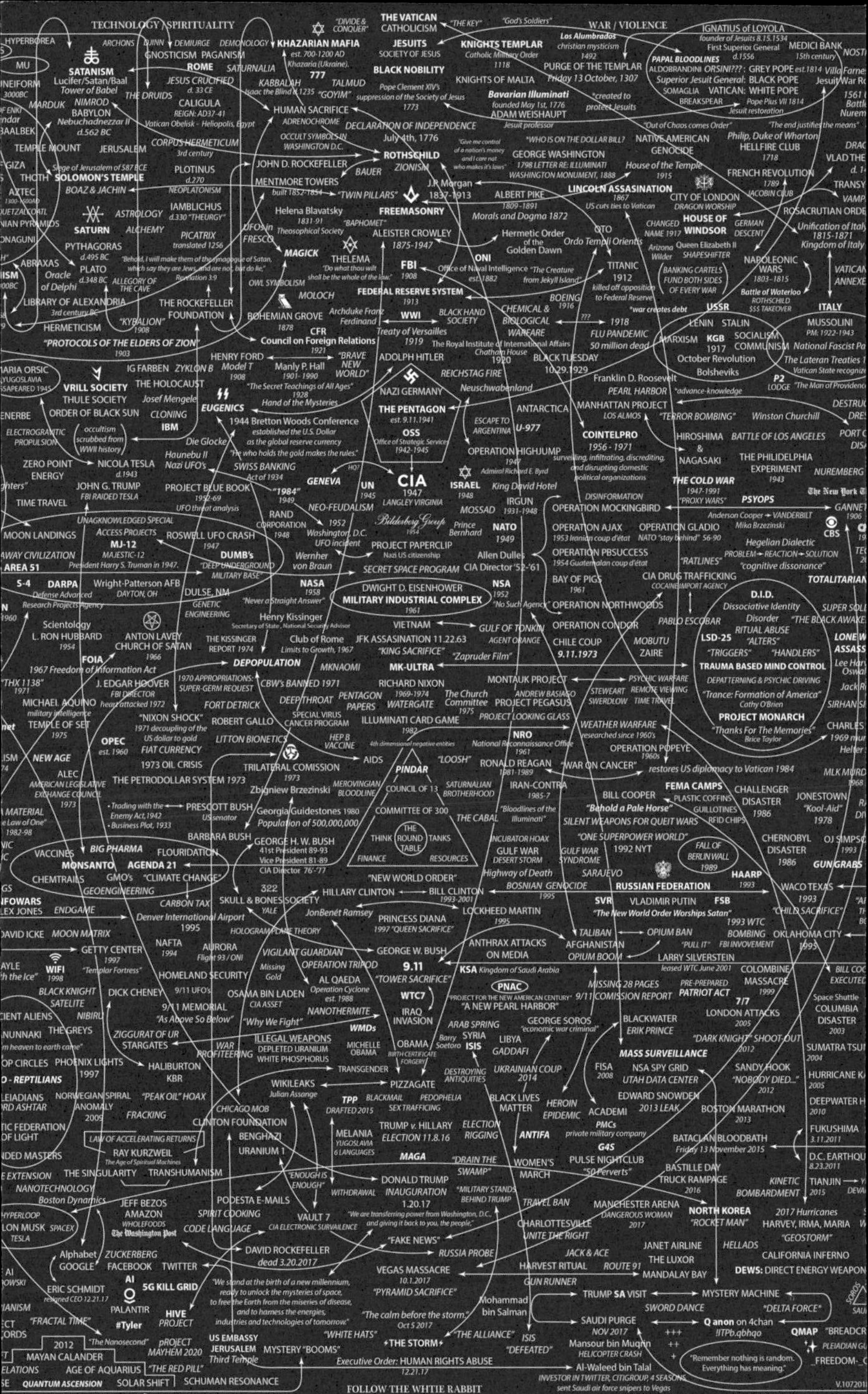
TECHNOLOGY / SPIRITUALITY
HYPERBOREA
ARCHONS DJINN DEMIURGE DEMONOLOGY
"DIVIDE & CONQUER"
KHAZARIAN MAFIA
est. 700-1200 AD
Khazaria (Ukraine).
777
THE VATICAN
CATHOLICISM
"THE KEY"
"God's Soldiers"
WAR / VIOLENCE
IGNATIUS of LOYOLA
founder of Jesuits 8.15.1534
First Superior General
d.1556
MEDICI BANK
15th century
MU
SATANISM
Lucifer/Satan/Baal
Tower of Babel
GNOSTICISM PAGANISM
ROME
SATURNALIA
JESUS CRUCIFIED
d. 33 CE
THE DRUIDS
CALIGULA
REIGN: AD37-41
Vatican Obelisk - Heliopolis, Egypt
KABBALAH
Isaac the Blind d.1235
TALMUD
"GOYIM"
JESUITS
SOCIETY OF JESUS
BLACK NOBILITY
Pope Clement XIV's suppression of the Society of Jesus
1773
KNIGHTS TEMPLAR
Catholic Military Order
1118
KNIGHTS OF MALTA
Los Alumbrados
christian mysticism
1492
PURGE OF THE TEMPLAR
Friday 13 October, 1307
PAPAL BLOODLINES
ALDOBRANDINI ORSINI???: GREY POPE est.1814
Superior Jesuit General: BLACK POPE
SOMAGLIA VATICAN: WHITE POPE
BREAKSPEAR Pope Pius VII 1814
Jesuit restoration
Villa Farnese
Jesuit War Room
MARDUK
NIMROD
BABYLON
Nebuchadnezzar II
d.562 BC
HUMAN SACRIFICE
ADRENOCHROME
Bavarian Illuminati
founded May 1st, 1776
ADAM WEISHAUPT
Jesuit professor
"created to protect Jesuits"
DECLARATION OF INDEPENDENCE
July 4th, 1776
"Out of Chaos comes Order"
"The end justifies the means"
CORPUS HERMETICUM
3rd century
TEMPLE MOUNT
JERUSALEM
OCCULT SYMBOLS IN WASHINGTON D.C.
ROTHSCHILD
ZIONISM
"Give me control of a nation's money and I care not who makes it's laws"
"WHO IS ON THE DOLLAR BILL?"
GEORGE WASHINGTON
1798 LETTER RE: ILLUMINATI
WASHINGTON MONUMENT, 1888
NATIVE AMERICAN GENOCIDE
Philip, Duke of Wharton
HELLFIRE CLUB
1718
GIZA
Siege of Jerusalem of 587 BCE
SOLOMON'S TEMPLE
BOAZ & JACHIN
THOTH
PLOTINUS
d.270
NEOPLATONISM
JOHN D. ROCKEFELLER
BAUER
MENTMORE TOWERS
built 1852-1854
"TWIN PILLARS"
J.P Morgan
1837-1913
House of the Temple
1915
FRENCH REVOLUTION
1789
JACOBIN CLUB
AZTEC
ASTROLOGY
IAMBLICHUS
d.330 "THEURGY"
Helena Blavatsky
1831-91
Theosophical Society
"BAPHOMET"
FREEMASONRY
ALBERT PIKE
1809-1891
Morals and Dogma 1872
LINCOLN ASSASINATION
1867
US cuts ties to Vatican
CITY OF LONDON
DRAGON WORSHIP
ROSACRUTIAN ORDER
SATURN
ALCHEMY
PICATRIX
translated 1256
UFOs in FRESCO
ALEISTER CROWLEY
1875-1947
Hermetic Order of the Golden Dawn
OTO
Ordo Templi Orientis
CHANGED NAME 1917
HOUSE OF WINDSOR
GERMAN DESCENT
Unification of Italy
1815-1871
Kingdom of Italy
PYTHAGORAS
d.495 BC
PLATO
d.348 BC
"Behold, I will make them of the synagogue of Satan, which say they are Jews, and are not, but do lie," Revelation 3:9
MAGICK
THELEMA
"Do what thou wilt shall be the whole of the law."
FBI
1908
ONI
Office of Naval Intelligence
est. 1882
"The Creature from Jekyll Island"
Arizona Wilder
Queen Elizabeth II
SHAPESHIFTER
ABRAXAS
Oracle of Delphi
ALLEGORY OF THE CAVE
OWL SYMBOLISM
MOLOCH
FEDERAL RESERVE SYSTEM
1913
TITANIC
1912
killed off opposition to Federal Reserve
BANKING CARTELS FUND BOTH SIDES OF EVERY WAR
NAPOLEONIC WARS
1803-1815
Battle of Waterloo
ROTHSCHILD $$$ TAKEOVER
VATICAN ANNEXED
LIBRARY OF ALEXANDRIA
3rd century BC
THE ROCKEFELLER FOUNDATION
BOHEMIAN GROVE
1878
Archduke Franz Ferdinand
WWI
BLACK HAND SOCIETY
CHEMICAL & BIOLOGICAL WARFARE
BOEING
1916
"war creates debt"
USSR
ITALY
HERMETICISM
"KYBALION"
1908
CFR
Council on Foreign Relations
1921
Treaty of Versailles
1919
??? 1918
FLU PANDEMIC
50 million dead
LENIN STALIN
MARXISM KGB SOCIALISM COMMUNISM
1917
October Revolution
Bolsheviks
MUSSOLINI
PM: 1922-1943
National Fascist Party
The Lateran Treaties
Vatican State recognized
"PROTOCOLS OF THE ELDERS OF ZION"
1903
HENRY FORD
Model T
1908
"BRAVE NEW WORLD"
The Royal Institute of International Affairs
Chatham House
1920
BLACK TUESDAY
10.29.1929
MARIA ORSIC
YUGOSLAVIA
DISAPPEARED 1945
VRILL SOCIETY
THULE SOCIETY
ORDER OF BLACK SUN
IG FARBEN
ZYKLON B
THE HOLOCAUST
Josef Mengele
CLONING
IBM
Manly P. Hall
1901-1990
"The Secret Teachings of All Ages"
1928
Hand of the Mysteries
ADOLPH HITLER
NAZI GERMANY
REICHSTAG FIRE
Neuschwabenland
Franklin D. Roosevelt
PEARL HARBOR
*advance-knowledge
P2 LODGE
"The Man of Providence"
EUGENICS
1944 Bretton Woods Conference
established the U.S. Dollar as the global reserve currency
"He who holds the gold makes the rules."
THE PENTAGON
est. 9.11.1941
OSS
Office of Strategic Services
1942-1945
ANTARCTICA
ESCAPE TO ARGENTINA
U-977
MANHATTAN PROJECT
LOS ALMOS
"TERROR BOMBING"
Winston Churchill
ELECTROGRAVITIC PROPULSION
occultism scrubbed from WWII history
Die Glocke
Haunebu II
Nazi UFO's
SWISS BANKING
Act of 1934
OPERATION HIGHJUMP
1947
Admiral Richard E. Byrd
COINTELPRO
1956 - 1971
surveilling, infiltrating, discrediting, and disrupting domestic political organizations
HIROSHIMA & NAGASAKI
BATTLE OF LOS ANGELES
THE PHILIDELPHIA EXPERIMENT
1943
NUREMBERG
ZERO POINT ENERGY
NICOLA TESLA
d.1943
JOHN G. TRUMP
FBI RAIDED TESLA
PROJECT BLUE BOOK
1952-69
UFO threat analysis
GENEVA
UN
1945
CIA
1947
LANGLEY VIRGINIA
ISRAEL
1948
King David Hotel
THE COLD WAR
1947-1991
"PROXY WARS"
PSYOPS
TIME TRAVEL
"1984"
1949
NEO-FEUDALISM
MOSSAD
IRGUN
1931-1948
DISINFORMATION
OPERATION MOCKINGBIRD
Anderson Cooper → VANDERBILT
Mika Brzezinski
UNAGKNOWLEDGED SPECIAL ACCESS PROJECTS
RAND CORPORATION
1948
1952 Washington, D.C. UFO incident
Bilderberg Group
1954
Prince Bernhard
NATO
1949
OPERATION AJAX
1953 Iranian coup d'état
OPERATION GLADIO
NATO "stay behind" 56-90
CBS
MOON LANDINGS
ROSWELL UFO CRASH
1947
MJ-12
MAJESTIC-12
President Harry S. Truman in 1947.
DUMB's
"DEEP UNDERGROUND MILITARY BASE"
Wernher von Braun
PROJECT PAPERCLIP
Nazi US citizenship
Allen Dulles
CIA Director '52-'61
OPERATION PBSUCCESS
1954 Guatemalan coup d'état
Hegelian Dialectic
PROBLEM → REACTION → SOLUTION
"cognitive dissonance"
"RATLINES"
AREA 51
S-4
DARPA
Defense Advanced Research Projects Agency
Wright-Patterson AFB
DAYTON, OH
DULSE, NM
SECRET SPACE PROGRAM
BAY OF PIGS
1961
CIA DRUG TRAFFICKING
COCAINE IMPORT AGENCY
TOTALITARIANISM
NASA
1958
"Never a Straight Answer"
DWIGHT D. EISENHOWER
MILITARY INDUSTRIAL COMPLEX
1961
NSA
1952
"No Such Agency"
OPERATION NORTHWOODS
D.I.D.
Dissociative Identity Disorder
RITUAL ABUSE
"ALTERS"
LSD-25
"TRIGGERS" "HANDLERS"
TRAUMA BASED MIND CONTROL
DEPATTERNING & PSYCHIC DRIVING
"Trance: Formation of America"
Cathy O'Brien
PROJECT MONARCH
"Thanks For The Memories"
Brice Taylor
GENETIC ENGINEERING
Henry Kissinger
Secretary of State, National Security Advisor
Scientology
L. RON HUBBARD
1954
ANTON LAVEY
CHURCH OF SATAN
1966
THE KISSINGER REPORT 1974
Club of Rome
Limits to Growth, 1967
VIETNAM
GULF OF TONKIN
AGENT ORANGE
JFK ASSASINATION 11.22.63
"KING SACRIFICE"
"Zapruder Film"
OPERATION CONDOR
CHILE COUP
9.11.1973
PABLO ESCOBAR
MOBUTU
ZAIRE
FOIA
1967 Freedom of Information Act
DEPOPULATION
MKNAOMI
MK-ULTRA
"THX 1138"
1971
J. EDGAR HOOVER
FBI DIRECTOR
heart attacked 1972
1970 APPROPRIATIONS: SUPER-GERM REQUEST
CBW's BANNED 1971
RICHARD NIXON
1969-1974
MONTAUK PROJECT
PSYCHIC WARFARE
REMOTE VIEWING
TIME TRAVEL
STEWEART SWERDLOW
MICHAEL AQUINO
military intelligence
TEMPLE OF SET
1975
FORT DETRICK
DEEP THROAT
PENTAGON PAPERS
WATERGATE
The Church Committee
1975
ANDREW BASIAGO
PROJECT PEGASUS
PROJECT LOOKING GLASS
"NIXON SHOCK"
1971 decoupling of the US dollar to gold
ROBERT GALLO
SPECIAL VIRUS CANCER PROGRAM
ILLUMINATI CARD GAME
1982
WEATHER WARFARE
researched since 1960's
OPEC
est. 1960
FIAT CURRENCY
LITTON BIONETICS
HEP B VACCINE
4th dimensional negative entities
NRO
National Reconnaissance Office
1961
OPERATION POPEYE
1960s
NEW AGE
1973 OIL CRISIS
TRILATERAL COMISSION
1973
AIDS
"LOOSH"
RONALD REAGAN
1981-1989
"WAR ON CANCER"
restores US diplomacy to Vatican 1984
MLK MURDER
1968
ALEC
AMERICAN LEGISLATIVE EXCHANGE COUNCIL
1973
THE PETRODOLLAR SYSTEM 1973
Zbigniew Brzezinski
PINDAR
MEROVINGIAN BLOODLINE
COUNCIL OF 13
SATURNALIAN BROTHERHOOD
IRAN-CONTRA
1985-7
FEMA CAMPS
PLASTIC COFFINS
GUILLOTINES
RFID CHIPS
CHALLENGER DISASTER
1986
JONESTOWN
"Kool-Aid"
1978
• Trading with the Enemy Act,1942
• Business Plot, 1933
PRESCOTT BUSH
US senator
Georgia Guidestones 1980
Population of 500,000,000
COMMITTEE OF 300
THE CABAL
"Bloodlines of the Illuminati"
BILL COOPER
"Behold a Pale Horse"
SILENT WEAPONS FOR QUEIT WARS
BARBARA BUSH
THINK THE ROUND TABLE TANKS
FINANCE RESOURCES
"ONE SUPERPOWER WORLD"
1992 NYT
CHERNOBYL DISASTER
1986
OJ SIMPSON
1993
VACCINES
BIG PHARMA
FLOURIDATION
MONSANTO
AGENDA 21
CHEMTRAILS
GMO's
"CLIMATE CHANGE"
GEOENGINEERING
GEORGE H. W. BUSH
41st President 89-93
Vice President 81-89
CIA Director 76'-'77
INCUBATOR HOAX
GULF WAR
DESERT STORM
Highway of Death
GULF WAR SYNDROME
FALL OF BERLIN WALL
1989
GUN GRABS
"NEW WORLD ORDER"
322
SARAJEVO
BOSNIAN GENOCIDE
1995
HAARP
1993
RUSSIAN FEDERATION
WACO TEXAS
1993
INFOWARS
ALEX JONES
ENDGAME
CARBON TAX
SKULL & BONES SOCIETY
YALE
HILLARY CLINTON
BILL CLINTON
1993-2001
SVR
VLADIMIR PUTIN
FSB
"The New World Order Worships Satan"
"CHILD SACRIFICE"
DAVID ICKE
MOON MATRIX
Denver International Airport
1995
JonBenét Ramsey
HOLOGRAM PLANE THEORY
PRINCESS DIANA
1997 "QUEEN SACRIFICE"
LOCKHEED MARTIN
1995
TALIBAN
OPIUM BAN
1993 WTC BOMBING
FBI INVOLVEMENT
OKLAHOMA CITY
1995
GETTY CENTER
1997
"Templar Fortress"
NAFTA
1994
AURORA
Flight 93 / ONI
VIGILANT GUARDIAN
OPERATION TRIPOD
GEORGE W. BUSH
ANTHRAX ATTACKS ON MEDIA
AFGHANISTAN
OPIUM BOOM
"PULL IT"
LARRY SILVERSTEIN
leased WTC June 2001
WIFI
1998
HOMELAND SECURITY
Missing Gold
AL QAEDA
Operation Cyclone
est. 1988
9.11
"TOWER SACRIFICE"
KSA Kingdom of Saudi Arabia
COLOMBINE MASSACRE
1999
BILL COOPER EXECUTED
BLACK KNIGHT SATELITE
DICK CHENEY
9/11 UFO's
OSAMA BIN LADEN
CIA ASSET
WTC7
PNAC
"PROJECT FOR THE NEW AMERICAN CENTURY"
"A NEW PEARL HARBOR"
MISSING 28 PAGES
9/11 COMISSION REPORT
PRE-PREPARED
PATRIOT ACT
7/7
LONDON ATTACKS
2005
Space Shuttle COLUMBIA DISASTER
2003
ANCIENT ALIENS
ANUNNAKI
THE GREYS
NIBIRU
9/11 MEMORIAL
"As Above So Below"
"Why We Fight"
NANOTHERMITE
IRAQ INVASION
WMDs
ARAB SPRING
GEORGE SOROS
"economic war criminal"
BLACKWATER
ERIK PRINCE
"DARK KNIGHT" SHOOT-OUT
2012
ZIGGURAT OF UR
STARGATES
WAR PROFITEERING
ILLEGAL WEAPONS
DEPLETED URANIUM
WHITE PHOSPHORUS
MICHELLE OBAMA
OBAMA
BIRTH CERTIFICATE FORGERY
Barry Soetoro
SYRIA
ISIS
LIBYA
GADDAFI
MASS SURVEILLANCE
SUMATRA TSUNAMI
2004
CROP CIRCLES
PHOENIX LIGHTS
1997
HALIBURTON
KBR
TRANSGENDER
DESTROYING ANTIQUITIES
UKRAINIAN COUP
2014
FISA
2008
NSA SPY GRID
UTAH DATA CENTER
SANDY HOOK
"NOBODY DIED..."
2012
HURRICANE KATRINA
2005
REPTILIANS
NORWEGIAN SPIRAL ANOMALY
2009
"PEAK OIL" HOAX
FRACKING
WIKILEAKS
Julian Assange
PIZZAGATE
TPP
DRAFTED 2015
BLACKMAIL
PEDOPHELIA
SEX TRAFFICKING
BLACK LIVES MATTER
HEROIN EPIDEMIC
ACADEMI
EDWARD SNOWDEN
2013 LEAK
BOSTON MARATHON
2013
DEEPWATER HORIZON
2010
PLEIADIANS
LORD ASHTAR
GALACTIC FEDERATION OF LIGHT
ASCENDED MASTERS
CHICAGO MOB
CLINTON FOUNDATION
BENGHAZI
URANIUM 1
MELANIA
YUGOSLAVIA
6 LANGUAGES
TRUMP v. HILLARY
ELECTION 11.8.16
ELECTION RIGGING
ANTIFA
PMCs
private military company
G4S
BATACLAN BLOODBATH
Friday 13 November 2015
FUKUSHIMA
3.11.2011
D.C. EARTHQUAKE
8.23.2011
LAW OF ACCELERATING RETURNS
RAY KURZWEIL
The Age of Spiritual Machines
MAGA
"DRAIN THE SWAMP"
WOMEN'S MARCH
PULSE NIGHTCLUB
"50 Perverts"
BASTILLE DAY TRUCK RAMPAGE
2016
THE SINGULARITY
TRANSHUMANISM
"ENOUGH IS ENOUGH"
DONALD TRUMP INAUGURATION
1.20.17
WITHDRAWAL
"MILITARY STANDS BEHIND TRUMP"
KINETIC BOMBARDMENT
TIANJIN
2015
NANOTECHNOLOGY
Boston Dynamics
HYPERLOOP
ELON MUSK
SPACEX
TESLA
JEFF BEZOS
AMAZON
WHOLEFOODS
The Washington Post
PODESTA E-MAILS
SPIRIT COOKING
CODE LANGUAGE
VAULT 7
CIA ELECTRONIC SURVAILENCE
"We are transferring power from Washington, D.C., and giving it back to you, the people,"
TRAVEL BAN
MANCHESTER ARENA
DANGEROUS WOMAN
2017
NORTH KOREA
"ROCKET MAN"
2017 Hurricanes
HARVEY, IRMA, MARIA
"GEOSTORM"
CHARLOTTESVILLE
UNITE THE RIGHT
"FAKE NEWS"
RUSSIA PROBE
HELLADS
CALIFORNIA INFERNO
DEWS: DIRECT ENERGY WEAPONS
Alphabet
GOOGLE
ZUCKERBERG
FACEBOOK
TWITTER
DAVID ROCKEFELLER
dead 3.20.2017
VEGAS MASSACRE
10.1.2017
"PYRAMID SACRIFICE"
HARVEST RITUAL
JACK & ACE
ROUTE 91
JANET AIRLINE
THE LUXOR
MANDALAY BAY
GUN RUNNER
ERIC SCHMIDT
resigned CEO 12.21.17
AI
5G KILL GRID
PALANTIR
HIVE PROJECT
"We stand at the birth of a new millennium, ready to unlock the mysteries of space, to free the Earth from the miseries of disease, and to harness the energies, industries and technologies of tomorrow."
"The calm before the storm."
Oct 5 2017
Mohammad bin Salman
TRUMP SA VISIT
MYSTERY MACHINE
SWORD DANCE
"DELTA FORCE"
"FRACTAL TIME"
#Tyler
SAUDI PURGE
NOV 2017
Q anon on 4chan
!ITPb.qbhqo
QMAP
"WHITE HATS"
"THE ALLIANCE"
ISIS "DEFEATED"
Mansour bin Muqrin
HELICOPTER CRASH
+++
++
+
PLEIADIAN
2012
MAYAN CALANDER
"The Nanosecond"
pROJECT MAYHEM 2020
US EMBASSY JERUSALEM
Third Temple
MYSTERY "BOOMS"
THE STORM
Executive Order: HUMAN RIGHTS ABUSE
12.21.17
Al-Waleed bin Talal
INVESTOR IN TWITTER, CITIGROUP, 4 SEASONS
sent Saudi air force snipers to Vegas
"Remember nothing is random. Everything has meaning."
FREEDOM
AGE OF AQUARIUS
"THE RED PILL"
QUANTUM ASCENSION
SOLAR SHIFT
SCHUMAN RESONANCE
FOLLOW THE WHITIE RABBIT
V.10720

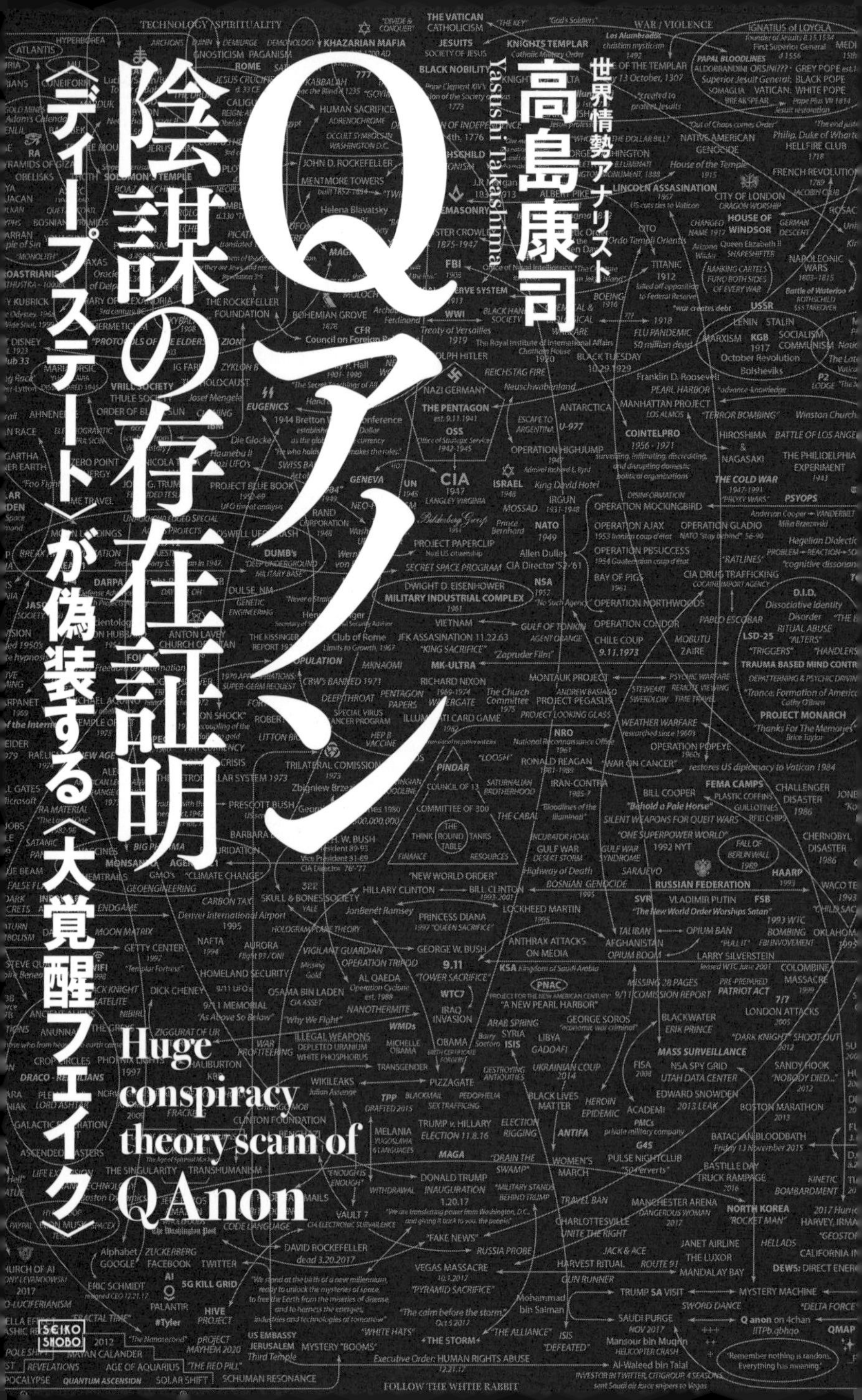

世界情勢アナリスト

高島康司

Yasushi Takashima

Qアノン
陰謀の存在証明

〈ディープステート〉が偽装する〈大覚醒フェイク〉

Huge conspiracy theory scam of QAnon

SEIKO SHOBO